MAÇONARIA de A a Z

CLAUDIO BLANC

Camelot
EDITORA

1ª Impressão em 2022

Presidente: Paulo Roberto Houch
MTB 0083982/SP

Coordenação Editorial: Priscilla Sipans
Coordenação de Arte: Rubens Martim
Projeto Gráfico: Renato Darim Parisotto
Revisão: Rogério Coelho
Vendas: Tel.: (11) 3393-7723 (vendas@editoraonline.com.br)

Impresso no Brasil.
Foi feito o depósito legal.

Dados Internacionais de Catalogação na Publicação (CIP)
(eDOC BRASIL, Belo Horizonte/MG)

Blanc, Claudio.
B638m Maçonaria de A a Z / Claudio Blanc. – Barueri, SP: Camelot, 2022.
15,5x 23 cm

ISBN 978-65-80921-20-1

1. Maçonaria. I. Título

CDD 366.1

Elaborado por Maurício Amormino Júnior – CRB6/2422

Direitos reservados à
IBC – Instituto Brasileiro de Cultura LTDA
CNPJ 04.207.648/0001-94
Avenida Juruá, 762 – Alphaville Industrial
CEP. 06455-010 – Barueri/SP
www.editoraonline.com.br

A

ABÓBADA AZULADA

Na Antiguidade, o céu era visto como um hemisfério abobadado sobre o disco terrestre. Esta visão teve um importante papel nas concepções mitológicas e religiosas de quase todos os povos. É deste hemisfério abobadado que se unia à Terra no horizonte, que os deuses agiam. Como a Terra e o céu eram fisicamente ligados, o céu representaria uma das metades do mundo. O céu era, assim, o elemento masculino, ativo, de onde vinha a chuva que fertilizava a Terra, o elemento feminino, passivo. Curiosamente, no Egito – um dos berços da maçonaria – a deusa-mãe Nut era o Céu, enquanto o deus Geb era a Terra. O teto de uma Loja Maçônica representa o céu com estrelas, nuvens, o Sol. A abóbada é sustentada pelas colunas representadas pelos maçons. Portanto, simbolicamente, o iniciado (o maçom) sustenta o Universo mental (o Céu). No Oriente, à frente do trono do Venerável, está o Sol e, ao seu lado, Júpiter e Mercúrio. Por cima do trono do primeiro Vigilante, a Lua, e sobre o do segundo Vigilante, uma estrela de cinco pontas.

ABREVIATURAS MAÇÔNICAS:

A.'. D.'. - Anno Domini
A.'. Dep.'. - Anno Depositiones
A.'. F.'. and A.'. M'. - Ancient Free And Accepted Mason
A G.'. D.'. G.'. A.'. D.'. U.'. - À Gloria do Grande Arquiteto do Universo.
A.'. L.'. - Ano Luz
A.'. M.'. - Ano Mundi
A.'. Or.'. - O ano da Ordem
An.'. - Anjo
Ao Oc.'. - Ao Ocidente
Ao Or.'. - Ao Oriente
Ap.'. M'.'= Aprendiz Maçom
Apr.'. - Aprendiz
B.'. - Irmão em inglês (brother)
B'n.'. Irmãos em inglês (brothers)
C.'. - Compasso
C.'.G.'. - Capitão da Guarda
C.'. M.'. - Câmara do Meio
C.'. M.'. - Companheiro Maçom
Cav.'. - Cavaleiro

Gravura do século XVIII representando uma cena de maçonaria

D.'. - Diácono
D.'. G.'. M.'. P.'. - Deputado Grande Mestre Provincial
E.'. A.'. - Aprendiz em inglês (Entered Apprentice)
E.'. C.'. - Excelente Companheiro
E.'. V.'. D.'. - Egrégios Vixit Domini (Viveu Para o Senhor)
F.'. A.'. M.'. - Maçom Livre e Aceito em inglês (Free and Accepted Mason)
F.'. C.'. - Companheiro em inglês
F.'. E.'. C.'. - Fé, Esperança e Caridade
G.'. A.'. - Grande Arquiteto
G.'. L.'. - Grande Loja
G.'. L.'. P.'. - Grande Loja do Paraná
G.'. M.'. - Grão-Mestre
G.'. M.'. C.'. - Grande Mestre de Cerimônias
G.'. O.'. - Grande Oriente
G.'. O.'. B.'. - Grande Oriente do Brasil
G.'. O.'. P.'. - Grande Oriente do Paraná
G.'. P.'. - Grande Percursor
G.'. S.'. - Grande Secretário
G.'. T.'. - Grande Tesoureiro
G.'. T.'. - Guarda do Templo
H.'. A.'. B.'. - Hiram Abiff
J.'. - Juramento
L.'. - Loja
L.'.D.'.P.'. - Liberdade de Pensar (ou de Passagem)
M.'. - Maçom
Maç.'. - Maçom ou Maçonaria
M.'. C.'. - Câmara do Meio em inglês (Middle Chamber)
M.'. C.'. - Mestre de Cerimônias
MM.'. (ou Mmaç.'.) - Maçons
M.'. M.'. - Mestre Maçom
M.'. R.'. - Mui Respeitável
M.'. V.'. M.'. - Mui Venerável Mestre
Or.'. - Oriente ou Orador
P.'. D.'. - Primeiro Diácono
P.'. G.'. M.'. - Past Grand Master (Ex-Grão-Mestre)
P.'. P.'. P.'. - Presente, Passado e Porvir
P.'. S.'. - Palavra Sagrada
P.'. V.'. - Primeiro Vigilante
Q.'. I.'. - Querido Irmão
R.'. C.'. - Rosa-Cruz
R.'. E.'. A.'. A.'. - Rito Escocês Antigo e Aceito
R.'. L.'. - Respeitável Loja
R.'. M.'. - Respeitável Mestre
S.'. D.'. - Segundo Diácono
S.'. F.'. U.'. - Saúde, Força e União
S.'. P.'. S.'. - Saúde, Progresso e Solidariedade
S.'. S.'. S.'. - Saúde, Saúde, Saúde (ou Stella-Sedet-Soli)
S.'. V.'. - Segundo Vigilante ou Silêncio e Virtude
V.'. L.'. - Verdadeira Luz
V.'. M.'. - Venerável Mestre

ACÁCIA

Símbolo maçônico da imortalidade, em virtude da mesma manter-se sempre verde. Nas antigas tradições iniciáticas de todo o mundo Antigo, chamadas de Mistérios, sempre havia uma planta consagrada pelo seu significado esotérico e que ocupava uma posição importante na celebração dos ritos. Assim por conta da proeminência do seu uso nas cerimônias de determinada iniciação, estas plantas se tornaram seu símbolo. É o caso da acácia.
O simbolismo da acácia é muito antigo e tem lugar em todos os continentes. Na índia, Nepal, China e Tibete usam-se diversas partes desta árvore, especialmente a casca, as raízes e a resina, para a fabricação de incenso para rituais. Acredita-se que a fumaça da casca da acácia é capaz de afastar demônios e fantasmas e de deixar os deuses de bom humor. Quando Deus instruiu Moisés quanto à construção do Tabernáculo, disse: "faça uma arca de madeira de acácia", bem como uma mesa da mesma madeira. A coroa de Cristo era feita de espinhos de acácia. Contudo, o simbolismo mais poderoso da acácia remete à imortalidade, especialmente na tradição judaico-cristã. É este o contexto do simbolismo da acácia na maçonaria.
Na maçonaria, a acácia representa a permanência

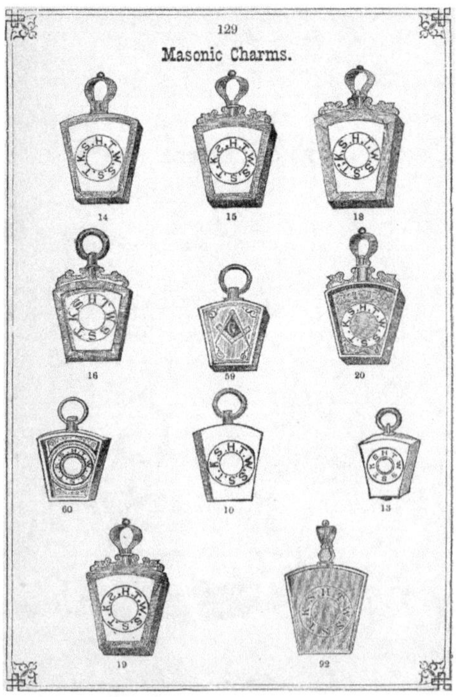

Wikicommons

Amuletos maçônicos

Wikicommons

Acácia em flor, de Vincent van Gogh (1890)

da alma e, enquanto símbolo funerário, significa ressurreição e imortalidade. O ramo de acácia, enquanto emblema de imortalidade, figura entre os símbolos do Terceiro Grau, onde as cerimônias visam ensinar a grande verdade que, nas palavras do escritor maçom Robert Crucefix (1797 – 1850), "a vida do homem, regulada pela moralidade, fé e justiça, será recompensada na última hora pelo prospecto da alegria eterna".

A acácia tem destaque na Lenda do Terceiro Grau, onde é mencionada no funeral de Hiram Abiff, o construtor do Templo de Salomão: ramos de acácia foram depositados no túmulo de Hiram. De acordo com o escritor maçônico Frederick Dalcho, que viveu no final do século XVIII e início do XIX, os hebreus sempre plantavam um ramo de acácia no túmulo de um amigo falecido – exatamente como acontece no funeral de Hiram Abiff. "De acordo com as leis dos hebreus", escreve Dalcho, "os corpos dos mortos não podiam ser enterrados nas paredes das cidades; e como os cohens, ou sacerdotes, eram proibidos de pisar em um túmulo, foi necessário colocar marcas para evitar a situação. A acácia foi usada com esse propósito".

O Mestre, para comprovar o seu Grau, diz: "A Acácia me é conhecida"; esta declaração significa: "Eu conheço a maçonaria em geral e particularmente", vez que a acácia simboliza a maçonaria e o Grau do Mestre.

Albert MacKey escreve que nos rituais funerários da maçonaria costuma-se dizer: "está sempre verde (a acácia) é um emblema da nossa fé na imortalidade da alma. Por meio dela somos lembrados da parte imortal que carregamos, deve sobreviver ao túmulo e nunca, nunca, nunca deverá morrer".

Contudo, o simbolismo da acácia também encerra outros significados adotados pela maçonaria. A palavra grega *akakia* significa inocência, ou o estado livre de pecados, o que remete a outro significado: iniciação.

ACEITAÇÃO (RITO)

Há um momento fundamental na cerimônia da iniciação maçônica, quando o candidato está prestes a receber uma revelação dos mistérios, à qual ele deve submeter-se e prestar obediência. Essa cerimônia é chamada de rito de aceitação, pois é a partir daqui que o aspirante começa a receber aquilo que estava buscando. O rito de aceitação é dividido em várias partes, uma vez que os segredos da maçonaria não são transmitidos de uma única vez, mas por meio de um processo gradual. Tal processo começa com a comunicação da Luz, parte da preparação para o desenvolvimento dos mistérios que devem ser seguidos.

O simbolismo da luz é tão intrínseco à maçonaria que um dos nomes pelos quais a ordem era conhecida antigamente era justamente Lux, ou Luz. É a Luz que ilumina a escuridão da ignorância, que dissipa o mal que ela encerra. Quando o candidato a maçom faz um pedido pela Luz, anseia por uma iluminação intelectual que, conforme colocou Albert Mackey, "dissipará a ignorância mental e moral que trará à sua visão as verdades sublimes da Religião, Filosofia e Ciência – o grande propósito que a maçonaria ensina."

A COBERTO

Termo usado quando um maçom nada deve à Loja a que pertence.

ACLAMAÇÃO

Sinais, palavras ou frases que os membros de uma Loja usam para aprovar por unanimidade alguma manifestação.

AÇO

Símbolo da força e da resistência.

ADONAI

O mesmo que Adônis, comumente traduzido como "Senhor"; astronomicamente, é o Sol. Palavra de passe e sagrada em vários graus.

ADORMECIDO

Estado em que se encontra um maçom ou uma Loja, quando este interrompe seus trabalhos ou frequência regular, sem perder seus direitos maçônicos; maçom que não está afiliado a nenhuma Loja.

ADORNOS

Peças que formam o traje maçônico (o avental, o colar, as joias etc).

ADORNOS DA LOJA

Conjunto de peças que adornam a Loja, como: o Pavimento Mosaico, a Orla Dentada e a Estrela Flamejante.

ÁGAPE

Banquete fraterno, desprovido de qualquer ritual.

ÁGATA

É uma das pedras que figuram simbolicamente nas lendas maçônicas, porque ela desempenha um papel importante no mito do rei Salomão. Seu nome é em homenagem ao rio Ágata, na Sicília, onde foi encontrada pela primeira vez.

ÁGUA

Um dos quatro elementos purificadores na cerimônia de iniciação ou elevação do candidato.

ÁGUA TOFANA

Esse é o símbolo do desprezo dado ao maçom que não cumpre o seu dever. O nome deriva de um famoso veneno à base de arsênico, inventado por uma envenenadora siciliana, Teofania di Adamo. Além de assassinar pessoas indesejadas, Teofania vendia sua Água Tofana e, graças à eficiência do seu produto, acabou ficando rica. Descoberta, foi denunciada e executada na cidade de Palermo.

ÁGUIA

Símbolo da audácia, a serenidade, a força e a velocidade; representa, igualmente, a ascensão do espírito. Figura entre os símbolos mais importantes da maçonaria.

ÁGUIA DE LAGASH

A Águia de Duas Cabeças de Lagash, ou simplesmente Águia de Lagash, ou Águia de Duas Cabeças, é considerada o brasão mais antigo do mundo. Sua origem remonta à cidade de Lagash, uma das mais antigas da Mesopotâmia. De acordo com maçons, esse símbolo já era usado quando o Templo do Rei Salomão foi construído. Quem trouxe o emblema para o Ocidente foram os cruzados.

Na maçonaria, a Águia de Duas Cabeças foi primeiramente utilizada em 1758, por uma Loja de Paris – Os Imperadores do Oriente e Ocidente, que chegaram durante um período, a controlar os Graus avançados então em uso, vindo a ser percussores do Rito Escocês Antigo e Aceito. De acordo com o pesquisador maçom Jaime Balbino de Oliveira, é provável que a águia bicéfala tenha sido usada como símbolo maçônico bem antes disso, desde o século XII. Segundo Oliveira, o símbolo, "era parte do Rito de Perfeição, do antigo Rito dos vinte e cinco graus, evoluindo em grande parte para o sistema Escocês. Não existe dúvida relativa ao uso da águia bicéfala pelo Supremo Conselho, 33°, Jurisdição Sul dos USA desde 1801".

O olho da águia está relacionado ao Olho de Hórus, ou o Olho que Tudo Vê. Como símbolo do Rito Escocês Antigo e Aceito, a Águia Bicéfala de Lagash tem suas asas abertas e é coroada pela coroa da Prússia. Suas garras estão pousadas em uma espada desembainhada que tem uma fita como ornamento serpenteando-a desde seu punho até a extremidade da lâmina contendo a inscrição em Latim: "Spes Mea in Deo Est", que significa: "A Minha Esperança Está em Deus".

ALAVANCA

Força moral, perseverança, força de vontade; um dos instrumentos simbólicos, passivos, do Grau de Companheiro, que deve ser associado à régua, instrumento ativo.

ALEGORIA

Palavra de origem grega que representa certos atos ou ideias (o mesmo que símbolo).

ALELUIA

Cântico de louvor e alegria pronunciado em diversos graus.

Wikicommons

A águia bicéfala no brasão do Império Bizantino

Wikicommons

Uma iniciação maçônica em Paris (c. 1805)

ALFAIAS

São os móveis, adornos, joias e distintivos da Oficina e dos oficiais.

ALINHAR OS CANHÕES

Dispor os copos e garrafas sobre uma linha marcada por uma fita da cor do Rito, nos trabalhos de banquete.

ALTAR

O altar é o lugar onde o espiritual se materializa. No Brasil, não há uma uniformização do altar. Algumas Lojas o constroem em forma de triângulo; outros, quadrado; há ainda as Lojas que o apresentam como uma pequena coluna. Sobre o altar são colocados o livro sagrado, um compasso e um esquadro – chamados de *utensílios*. São os apetrechos usados para construir o "edifício" que será o futuro maçom. Geralmente o livro sagrado é a Bíblia, mas isso depende de onde a Loja estiver localizada. Além desses elementos, há ritos que colocam outros símbolos sobre o altar, como a Espada Flamejante.

ALTAR DOS JURAMENTOS

Local ao centro de uma Loja, onde se encontra o Livro da Lei.

AMPULHETA

Emblema do tempo e da morte.

ÂNCORA

Esperança, uma das virtudes necessárias ao aperfeiçoamento e à estabilidade do homem.

ANDERSON, JAMES

Reverendo, teólogo e ministro da Igreja Presbiteriana de Londres, é considerado como o promotor da Reforma Maçônica realizada na Inglaterra em 1717. Não se sabe muito a respeito de James Anderson, autor da primeira Constituição da franco-maçonaria. Anderson nasceu em Aberdeen, Escócia, por volta de 1679. Nada se conhece sobre sua infância. Formado pela Universidade de sua cidade natal, tornou-se ministro presbiteriano em 1734. Também é desconhecida a data do seu ingresso na maçonaria.

Ao que parece, depois da publicação das Constituições, não compareceu mais às reuniões da Grande Loja durante sete anos. O passo seguinte conhecido da vida do reverendo James Anderson é a publicação, em 1732, do seu livro *Royal Genealogies* (As Genealogias Reais) – "a obra da sua vida". A segunda edição das Constituições saiu em 1738. No ano seguinte, Anderson morreu.

Curiosamente, o fato mais detalhado conhecido sobre a biografia de Anderson foi publicado no jornal *The Daily Post* por ocasião do seu funeral. O interessante artigo – citado no livro A Franco-Maçonaria Simbólica e Iniciática, de Jean Palou (Editora Pensamento, tradução de Edilson Alkmim Cunha) – descreve minuciosamente a cerimônia fúnebre maçônica e revela, estranhamente, que os oradores não se referiram uma vez sequer ao falecido:

"Ontem à tarde foi enterrado numa sepultura de profundidade fora do comum o corpo do dr. Anderson, professor não conformista. Os cordões do manto funerário eram segurados por quatro professores da mesma religião e pelo reverendo dr. Désaguliers (a versão francesa de James Anderson). Era acompanhado mais ou menos por uns doze franco-maçons que ficaram em torno da sepultura".

ANEL

Emblema da aliança; acordo firmado entre partes.

ÂNGULO RETO

Símbolo da virtude e do modelo de conduta do bom maçom.

ANO DOMINI

Ano do Calendário Gregoriano.

ANO MUNDI

O mesmo que ano da "Verda-deira Luz". Acrescenta-se 3.760 anos ao calendário Gregoriano. O ano da "Verdadeira Luz" se inicia em setembro do calendário Gregoriano.

A ORDEM

Posição ritualística em que o maçom deve ficar em Loja (quando solicitado), de acordo com o grau trabalhado pela Loja.

Wikicommons

Bandeira de Loja maçônica

APELAÇÃO

Prerrogativa que um maçom tem de apelar das decisões superiores, obedecendo os trâmites e normas determinadas pelos estatutos e jurisprudências respectivas.

Anel do 33° Grau

APRENDIZ

O primeiro Grau da maçonaria é o do Aprendiz. Segundo o estudioso José Castellani, uma das maiores autoridades sobre a Ordem Maçônica, na maçonaria operativa, formada pelas organizações de ofício, só existiam Aprendizes, e os Mestres-de-Obras eram escolhidos entre os Aprendizes mais experientes. Na Idade Média não havia, portanto, os Companheiros. Para se tornar um Aprendiz maçom, é preciso ser convidado por um membro de uma Loja. A seleção é rigorosa, pois a fraternidade procura se preservar do convívio de maus elementos. Ao receber o convite, o qual sempre é feito com o mínimo de informação possível, o candidato se dirige à Loja no dia e horário informados.

O Grau do Aprendiz busca desenvolver os princípios fundamentais da sociedade e ao ensinamento de suas leis e costumes. Em seu livro "O Rito Escocês Antigo e Aceito, Loja de Perfeição", Rizzardo da Camino afirma que esses princípios são, porém, embasados em três expressões: Deus, Beneficência e Fraternidade.

ARCA

Termo empregado para designar diversos ritos e graus.

ARCA DA ALIANÇA

Testemunho da segunda aliança do Senhor com a humanidade por meio de Moisés. No grau 22 do Rito Escocês Antigo e Aceito, se ensina que as árvores do Líbano cresceram e foram utilizadas para a construção da Arca da Aliança e no grau 32 constitui a joia do Grande Machado.

ARCO-ÍRIS

Símbolo da aliança entre Deus e o homem; a ponte entre o mundo divino e o mundo mortal. Como Bifrost, o lendário arco-íris que liga o mundo dos deuses ao dos homens, na mitologia nórdica.

Wikicommons

A Arca da Aliança transportada para Jerusalém; à frente do cortejo, o rei David dança e toca sua harpa (Marc Chagall, 1956)

AREÓPAGO

Na Grécia Antiga, havia um conselho de membros da aristocracia ateniense, cada um dos quais era responsável por um aspecto diferente do governo de Atenas. Esse conselho era chamado de areópago, algo como "Colina de Ares", em referência ao deus da guerra grego, pois em tempos de conflito o areópago era responsável pela proteção da cidade.

No Rito Escocês Antigo e Aceito da maçonaria, a Loja que atribui os graus do 19º ao 30º é chamada de Areópago, ou Conselho de Kadosh. É a maçonaria Negra, não em referência às sombras ou às trevas, mas sim por absorver, como o negro, todos os outros espectros de cores sem refletir nenhum. Segundo a Pequena Enciclopédia Maçônica, de Octaviano de Menezes Bastos, a maçonaria Negra, que se refere às ordens de cavalaria, também influenciou o Rito Escocês Antigo e Aceito. As Cruzadas influenciaram não apenas os artífices, mas também os nobres, que conheceram na Palestina várias formas de associações, fundando na Europa ordens semelhantes às do Oriente. As ordens de cavalaria penetraram nas Lojas da Escócia desde 1307, levando para a maçonaria Operativa as suas cerimônias e seus graus. Desta forma, introduziram símbolos e práticas destas ordens militares religiosas, impulsionando a transformação da maçonaria Operativa e Simbólica.

AREÓPAGO DE KADOSH (OU CAVALEIRO KADOSH)

Título dado ao maçom no grau 30 do Rito Escocês Antigo e Aceito (também Grande Eleito Cavaleiro Kadosh ou Cavaleiro Kadosh)

ARTE REAL

Nome dado à maçonaria pelos maçons, que a consideram, acima de tudo, um ideal de vida.

ARTES LIBERAIS

Em seu aprendizado, a maçonaria recupera as Sete Artes Liberais, aspecto da ciência, conforme era dividida até o início do século XIX: Dialética/ Lógica, Música, Gramática, Retórica, Astronomia, Aritmética e Geometria. O maçom deve, portanto, dominar estas artes:

A ARITMÉTICA: É a arte de calcular, a ciência dos números, a chave das ciências exatas, o ramo da matemática que trata dos números e das operações entre eles. Ninguém prescinde da aritmética no dia a dia e o maçom deve dominá-la.

A ASTRONOMIA: É a arte de conhecer os astros. Permite ao Companheiro conhecer a lei que movimenta os astros, satélites, planetas e, assim, conhecer o Universo. A maioria dos símbolos maçônicos tem estreita ligação com a Astronomia. A Astronomia é simbolizada de forma genérica, na Abóbada Celeste dos templos maçônicos.

Wikicommons

A anatomia do homem, dos irmãos Limbourg (c.início do século XV) mostra a influência dos astros no corpo humano

A DIALÉTICA: É a arte do diálogo. O termo original significava "caminho entre as ideias" e, de fato, trata-se de um método de diálogo cujo foco é a contraposição e contradição de ideias que leva a outras ideias. A dialética tem sido um tema central na filosofia ocidental e oriental e ferramenta primordial do maçom.

A GEOMETRIA: A geometria, empregada nas grandes construções, veio a ser a "ciência das ciências" para os maçons, um meio pelo qual compreender, ou conhecer, o Universo – a obra do Grande Arquiteto. Esse ramo da matemática era tido pelos antigos como a mais importante ciência. O filósofo grego Pitágoras, iniciado no Egito nos Mistérios de Ísis, na Fenícia nos Mistérios de Adônis, na Grécia nos de Elêusis e fundador da escola pitagórica, afirmava que a geometria ensina o homem a pensar com clareza. Platão, que não era matemático, mas um estudioso da matemática, mandou escrever no pórtico da sua academia em Atenas que "nenhum homem que não conheça geometria deve passar por esta porta". O Companheiro deve conhecer as medidas: medidas dos aspectos da Natureza, medidas das palavras e das obras.

A GRAMÁTICA: A arte de falar corretamente. O Companheiro deve dominar seu idioma com perfeição, tanto no falar como no escrever. "O discurso é a forma de o maçom expressar-se aplicando o linguajar correto, buscando as belas palavras do vernáculo e fugindo da gíria; a perfeição é buscada também no uso da palavra", escreve da Camino.

A LÓGICA: É a arte do raciocínio metódico. O termo deriva do grego clássico "logos", que significa palavra, pensamento, ideia, argumento, relato, razão lógica. Conforme lembra Rizzardo da Camino ao comentar esse ensinamento do Grau de Companheiro, "a Palavra é um dom e quem o possuir não deve mantê-lo, apenas, para si, mas exteriorizá-lo; a Palavra consola, anima, excita e entusiasma".

A MÚSICA: Em seu *A República*, Platão afirmou que o filósofo deveria ser educado por meio da ginástica e da música, justificando que a música ensina a harmonia necessária para se bem viver com tudo e com todos. Os sons sensibilizam todo o ser humano. Conforme observou o poeta inglês Joseph Addison (1672 – 1719), "Música, o maior bem que os mortais conhecem / O paraíso que temos na Terra". Toda cerimônia de iniciação e mesmo todo trabalho em Loja não dispensam o fundo musical, tanto que, nas Lojas, é mantido um oficial como Mestre de Harmonia. Da Camino observa que "a Música conduz o pensamento à meditação e, das Artes Liberais, ela é a maior representação.

Símbolos da Loja de Aprendiz

A RETÓRICA: Depois de dominar a língua, o maçom deve ser mestre na arte de falar bem. Em seu discurso, as palavras deverão ser medidas e expressas com precisão e elegância. O maçom deve, sobretudo, ser comedido, evitando o discurso longo e cansativo.

O termo "Retórica", cujo significado é "arte de falar bem", contém justamente esta ideia. Nasceu, enquanto arte, no século V a.C., na Sicília, e se desenvolveu nos círculos políticos e jurídicos da Grécia. Aristóteles identificava a Retórica como um elemento chave da filosofia, ao lado da Lógica e da Dialética.

ASSEMBLEIA MAÇÔNICA

Reunião não ritualística de maçons, especialmente os de alto grau.

ASSENTO

Lugar onde se colocam os membros de uma Loja.

Wikicommons

Símbolos relacionados ao 3º Grau maçônico

ASTROLOGIA

Na maçonaria, a presença da Astrologia é patente. Um exemplo claro são as 12 colunas do templo, que correspondem aos signos do zodíaco. As colunas são a base mental da Loja. Além das colunas visíveis, cada Dignidade e Oficial da Loja, bem como cada Mestre, Companheiro e Aprendiz, representa uma coluna. Assim a coluna representada pelo Venerável é o Sol, isto é, ciência e virtude; a do Primeiro Vigilante é Netuno, ou seja, purificação e estabilidade; a do Segundo vigilante, Urano, ou eternidade e imortalidade; a do Primeiro Experto, Saturno, isto é, consciência e experiência; a do Orador, Mercúrio – força e firmeza; a do Secretário, Vênus, o planeta-símbolo da beleza; a do Tesoureiro, Marte, que representa honra e valor; finalmente, a do Mestre de Cerimônias, a Lua – pureza e temperança.

ATO

Norma escrita de uma Potência a que uma Loja está subordinada.

ATRIBUTOS

Os emblemas, as Alfaias, os adornos, os artefatos, as fitas, as joias de grau, os cargos e os símbolos são os atributos da Ordem, sendo que cada um tem seu significado específico.

ÁTRIO

Designa, genericamente, os três grandes recintos do templo de Salomão. O primeiro era o átrio dos gentios, onde era permitido a entrada de qualquer um que fosse orar. O segundo era o átrio de Israel, onde somente os hebreus podiam penetrar (depois de haverem sido purificados) e o terceiro era o átrio dos Sacerdotes, onde se erguia o altar dos holocaustos e os sacerdotes exerciam os seus mistérios.

AUMENTO DE SALÁRIO

Elevação a um grau superior.

AURÉOLA DE OLIVA

Símbolo da imortalidade, da vitória e da inteligência.

AVENTAL

Uma das vestimentas mais importantes do maçom, elemento principal e essencial das insígnias maçônicas, símbolo do trabalho, tanto físico, como intelectual e moral. O avental é geralmente composto por um retângulo (alusivo à forma do Templo de Salomão), a que se sobrepõe uma abeta triangular. No 1º grau (Aprendiz), a abeta acha-se levantada, ao passo que em todos os demais graus, ela se dobra para baixo. Suas dimensões, cores e decorações variam com os graus, as funções, os ritos, as obediências e a própria história. E "o principal paramento da maçonaria é o avental, que nos recorda o trabalho que temos de realizar, lapidando a Pedra Bruta até chegar ao aperfeiçoamento individual, além de poder contribuir no grande objetivo da maçonaria, que é tornar feliz a Humanidade", escreve Álvaro Queiroz.

AVENTAL DE APRENDIZ MAÇOM

Paramento obrigatório para que um Aprendiz maçom possa participar de algum trabalho em Loja (antigamente era feito de pele de cabra), sua cor é branca (símbolo da inocência) e deve ser usado com a aba levantada, pois como ainda não sabe trabalhar, deve assim usá-lo para proteger-se ao trabalhar na pedra bruta.

AVENTAL DE COMPANHEIRO MAÇOM

Paramento obrigatório para que um Companheiro

maçom possa participar de algum trabalho em Loja (antigamente era feito de pele de cabra), sua cor é branca (símbolo da inocência) e deve ser usado com a aba baixada, trabalhando na pedra polida.

AVENTAL DE MESTRE MAÇOM

Paramento obrigatório para que um Mestre maçom possa participar de algum trabalho em Loja, sua cor é branca, com a aba e rosetas em azul. (Dependendo do Rito e das Potências podem haver algumas mudanças como: aba e rosetas, podendo estas terem partes em vermelho, etc).

AZEITE

Um dos ingredientes usados em diversas cerimônias maçônicas, é emblema da paz, da caridade, da abundância e da fecundidade. Para muitas culturas, é dotado de poderes especiais, uma vez que a oliveira frutifica num solo árido. Também é símbolo da luz, pois era usado como combustível para candeias e lâmpadas. Nos Mistérios de Elêusis, o azeite era usado como símbolo da pureza. Entre diversos povos, a unção com óleo de oliva tem importante papel sacralizante. A palavra "Cristo" significa "o Ungido", caracterizando o poder real, profético e sacerdotal de Jesus. No cristianismo, é usado nos cultos de consagração. Na maçonaria, pode ser usado como combustível na iluminação das lojas, em vez das velas, evocando as qualidades que representa.

AZUL

Nome dado à maçonaria Simbólica (graus 1º, 2º e 3º).

O presidente americano George Washington envergando um avental maçônico

B

B.'. A.'. J.'.

Iniciais que aparecem gravadas na abeta do avental do grau 8º. do Rito Escocês Antigo e Aceito, representando as palavras Ben-chorin, Achar e Jachinai.

B.'. D.'. S.'. P.'. H.'. G.'. F.'.

Iniciais das palavras: Beleza, Divindade, Sabedoria, Poder, Honra, Glória e Força, gravadas nos ângulos da joia do grau 17º. do Rito Escocês Antigo e Aceito.

BALANÇA

Símbolo da Justiça.

BALANDRAU

Capa que os maçons usam para participar dos trabalhos em substituição do traje a rigor, exigido nas cerimônias maçônicas. É uma vestimenta muito antiga, preta, com mangas largas e compridas, sendo que seu comprimento deve ser até as canelas e deve ser fechada até o pescoço.

BALAÚSTRE

Termo atribuído à ata das seções maçônicas.

BANDEIRA

Na maçonaria, existem várias bandeiras próprias de Lojas e de Potências. Nome também dado aos guardanapos nos banquetes maçônicos.

BANQUETE MAÇÔNICO

Celebração maçônica, geralmente realizada no Grau de Aprendiz, consiste em uma refeição com a finalidade de solenizar determinados acontecimentos relacionados com a Ordem. É uma tradição muito antiga. Os utensílios e ingredientes dos banquetes têm uma nomenclatura simbólica como:

Água - Pólvora Fraca
Beber - Atirar uma canhonaça
Cadeiras - Mochos
Cerveja - Pólvora Amarela
Champanhe - Pólvora Amarela
Colher - Trolha
Comer - Mastigar
Comida (em geral) - Materiais
Copo - Canhão
Faca - Alfanje
Garfo - Espeque
Garrafa - Barrica
Guardanapo - Bandeira
Licor - Pó fulminante
Luzes - Estrelas
Mesa - Oficina
Pão - Pedra bruta
Pimenta - Cimento (ou saibro)
Prato - Telha
Prato do centro - bandeja
Sal - Areia
Tesouras de velas - tenazes
Toalha - Véu
Trinchar - Desbastar
Vinho - Pólvora forte
Vinho Branco - Pólvora Branca
Vinho Rosé - Pólvora Rosa
Vinho Tinto - Pólvora Vermelha

Bandeira maçônica de Loja canadense

BARRIL

Termo designado à garrafa de vinho em banquetes maçônicos.

BASTÃO DO MESTRE DE CERIMÔNIAS

Insígnia do cargo de Mestre de Cerimônias, de tradição inglesa, que simboliza a autoridade, assim como é o cetro de um rei. É representado por uma vara de madeira, tendo no seu topo uma régua ou dois bastões cruzados.

BASTÃO DO PRIMEIRO DIÁCONO

Insígnia do cargo de Primeiro Diácono, que simboliza

Lápide maçônica, em Salzburgo, Áustria

a função de mensageiro do Venerável Mestre. É representado por uma vara de madeira, tendo no seu topo uma pomba.

BASTÃO DO SEGUNDO DIÁCONO

Insígnia do cargo de Segundo Diácono, que simboliza a função de mensageiro do Primeiro Vigilante. É representado por uma vara de madeira, tendo no seu topo uma pomba.

BATERIA

Rito maçônico que consiste em golpear com as mãos (ou com o malhete).

BATERIA DE LUTO

Rito maçônico que consiste em golpear no antebraço esquerdo, em memória de algum maçom que faleceu, ou, no dizer maçônico, que partiu para o Oriente Eterno.

BATERIA DO GRAU

Rito maçônico que consiste em golpear com as mãos ou com o malhete.

BELEZA

Um dos três sustentáculos de uma Loja, representada pela Coluna Coríntia, e pelo Segundo vigilante.

BENEFICÊNCIA

Uma das bases da maçonaria em todos os graus e Ritos. Nome dado ao Tronco que recebe os metais para que estes sejam repassados aos mais necessitados. Entidades, necessitados etc.

BÍBLIA

Conjunto das Escrituras Sagradas do Antigo Testamento e do Novo Testamento.

BILHA DE ÁGUA

Remete à hospitalidade e à frugalidade que devem caracterizar o maçom.

BINÁRIO

O que se refere ao número 2 (Lei do binário) oposição, dualidade.

BOI

Símbolo da força e do trabalho.

BOLA BRANCA

Sinal simbólico de aprovação em um escrutínio.

BOLA PRETA

Sinal simbólico de reprovação em um escrutínio.

BOLAS

Veja Esferas, Bola Branca e Bola Preta.

BOLSA DE PROPOSTA E INFORMAÇÕES

Sacola em que são depositadas as sugestões e as propostas que um maçom faz à Loja.

BORDA FESTONADA

Este ornamento, geralmente colocado no perímetro da Loja, tem diversas interpretações simbólicas. É a "muralha" protetora em torno da humanidade. Seus laços, formados pela Borda nos quatro cantos da sala, simbolizam temperança, fortaleza, prudência e justiça. Também evocam os quatro elementos: terra, ar, fogo e água. Relembra, ainda, a Cadeia de União e a unidade ininterrupta entre os maçons. A cor da Borda Festonada varia, mas em geral é dourada.

BURIL

Nome que se dá ao lápis e à caneta – é o símbolo da glória e do esplendor.

Emblema maçônico

C

A representação cabalística da Árvore da Vida

CABALA

Sabedoria derivada das doutrinas secretas mais antigas, que se combinaram para construir uma teologia baseada em uma interpretação mística das Escrituras. O judaísmo, como não podia deixar de ser, também tem sua corrente mística: a Cabala.

Esse movimento surgiu por volta de 1200, na Provença, região da França. A partir de então, os cabalistas usaram muitos nomes para eles mesmos e para o conhecimento que manipulavam. Na Espanha e na Provença, seus praticantes a chamavam de "sabedoria interior" e a si mesmos de "seres que compreendiam", "mestres do conhecimento", ou "mestres do serviço", pois diziam conhecer a verdade interior de servir a Deus. Por volta do século XIV, porém, o movimento místico já era chamado pelos seus praticantes pelo seu nome definitivo. A palavra "cabala" significa, literalmente, "tradição", mas pode ser também traduzida como "recebimento" ou "ensinamentos transmitidos" – uma referência à milenar tradição oral que tinha preservado e divulgado esse conhecimento.

Muitos cabalistas, de fato, negam o desenvolvimento histórico da Cabala. De acordo com Gershom Scholem, no seu *Origins of the Kabbalah*, os cabalistas "entendiam esse conhecimento como uma espécie de revelação primordial que tinha sido concedida a Adão e que perdurou, embora novas revelações fossem feitas de tempos em tempos, particularmente quando a tradição era esquecida ou interrompida". Mas essa ideia não é assim tão aceita. Muitos estudiosos a rejeitam e apresentam duas hipóteses alternativas. A primeira delas sustenta que a Cabala foi criada no século XII ou XIII, como uma reação ao racionalismo da filosofia judaica – aquele segundo caminho da busca religiosa. Isaac, o Cego, o primeiro autor cabalístico identificável, dizia que o próprio profeta Elias tinha revelado segredos místicos aos cabalistas medievais. A segunda hipótese afirma que a Cabala se originou no mundo greco-romano e foi passada oralmente de geração em geração, até aparecer na literatura judaica pela primeira vez, na Idade Média. Seja como for, identificar a origem exata da Cabala é, segundo Scholem, "sem dúvida, uma das questões mais difíceis da história da religião judaica".

CADASTRO

Registro de dados que os corpos maçônicos mantêm dos membros de sua jurisdição.

CADEIA DE UNIÃO

Ato solene em que os maçons se unem ao redor do Pavimento Mosaico e do Livro da Lei, para uma finalidade esotérica, ou para receberem a Palavra Semestral.

CADEIA QUEBRADA

Representa a perda de um membro da Ordem por morte. Simboliza a efemeridade e fatalidade da vida humana.

CALENDÁRIO MAÇÔNICO

O Calendário Maçônico é o meio pelo qual os maçons registram o tempo. É uma maneira exclusiva de expressar as datas pelos iniciados nos mistérios da maçonaria. No Rito Escocês Antigo e Aceito, é utilizado o Ano Judaico. Para se obter a data no Ano Judaico, soma-se 3.760 anos do calendário Gregoriano. O Ano Novo começa na primeira lua nova de setembro.

CÂMARA DOS MESTRES

A Câmara dos Mestres, com sua decoração fúnebre, representa a Câmara da morte, também chamada de Câmara do Meio. Na visão maçônica, a morte situa-se justamente na metade entre a vida terrena e a imortalidade. Os Mestres trabalham nessa Câmara simbolizando a medida justa.

CÂMARA DE REFLEXÃO

Local em que fica o profano antes da sua iniciação, para que este possa meditar e também redigir seu testamento filosófico.

CÂMARA DO MEIO

Local onde se reúnem os Mestres Maçons.

CAMARADARIA

Na França, a *Compagnonnage*, ou "camaradaria" de construtores, surgiu em um primeiro momento para enfrentar o poder dos patrões, que controlavam todos os aspectos da profissão, da aprendizagem à promoção. Durante o período medieval, as condições dos operários eram – para dizer o mínimo – precárias. Submissos a um patrão, eram muitas vezes mal pagos e maltratados. Além disso, era quase impossível para eles obter o título de "mestre", o que lhes permitia se estabelecer por conta própria.

A *compagnonnage* surgiu nesse contexto como uma espécie de união sindical embrionária que, além do trabalho, garantia a seus afiliados o recebimento de ajuda de todo tipo: alojamento, alimentação e roupas. Além disso, a camaradaria também visava dar a seus membros uma formação tanto técnica como moral. Dessa forma, pertencer à organização significava ter uma vida mais digna e segura. Diminuindo a importância do título de "mestre", valorizaram o de "companheiros" ou "camaradas", destacando o aspecto fraternal da organização.

Registros históricos indicam que a camaradaria francesa existia pelo menos desde o século XI. Tratava-se de uma sociedade iniciática, cujo segredo incomunicável era instilado em cada um de seus membros ao longo do percurso técnico e espiritual do seu trabalho. Estas duas correntes de conhecimento – técnico e espiritual – estão expressas nas obras dos companheiros franceses, repletas de símbolos enigmáticos e erigidas para durar séculos, como as colossais catedrais de Chartres, Bayeux, Reims, Amiens e de Évreux, um conjunto de igrejas dispostas conforme a constelação de Virgem, construídas entre os séculos XII e XIII.

Wikicommons

Torre em espiral da Casa dos Companheiros de Nantes, na França

CANDELABRO

Castiçal de forma grande, utilizado em várias cerimônias maçônicas (muitas de iniciação), principalmente nos graus mais elevados.

CANDIDATO

Nome dado ao profano que espera para ser iniciado.

CANHÃO

Como o cálice é designado em um banquete maçônico.

CAPITEL

Parte superior das colunas de uma Loja.

CAPÍTULO

Lojas de perfeição, especificamente dos graus 10º ao 18º (Loja Capitular).

CARGA

Encher os cálices em um banquete maçônico.

CARGOS DAS LOJAS MAÇÔNICAS

As lojas maçônicas possuem os seguintes cargos:

Venerável ou **Presidente**.

Primeiro Vigilante: responsável pelos Companheiros ou Aprendizes;

Segundo Vigilante: responsável pelos Aprendizes ou Companheiros;

Orador: representante da Lei maçônica e que sintetiza as conclusões de cada reunião;

Secretário: redige as atas e serve como mediador entre a Loja e a Obediência;
Chanceler: responsável pelos documentos de frequência e visitas;
Tesoureiro;
Mestre de Cerimônias: responsável pelo protocolo;
Guardião do Templo: responsável por verificar a entrada do Templo ou Loja, podendo impedir a entrada de pessoas ou mesmo de maçons não autorizados.

CARIDADE

Um dos deveres principais e mais antigos da maçonaria, cujas instituições e obras beneficentes são numerosas.

CARTA CONSTITUTIVA

Título de Constituição, dado por uma obediência a uma Loja Maçônica, que garante a sua regularidade.

CATECISMO

Termo utilizado para o Manual (de Aprendiz, Companheiro e Mestre).

CAVALEIRO DA ESPADA (OU DO ORIENTE)

Título dado ao maçom no grau 15º do Rito Escocês Antigo e Aceito.

CAVALEIRO DO ORIENTE E DO OCIDENTE

Título dado ao maçom no grau 17º do Rito Escocês Antigo e Aceito.

CAVALEIRO DO REAL ARCO

Título dado ao maçom no grau 13º do Rito Escocês Antigo e Aceito.

CAVALEIRO DO REAL MACHADO (OU PRÍNCIPE DO LÍBANO)

Título dado ao maçom no grau 22º do Rito Escocês Antigo e Aceito.

CAVALEIRO DO SOL (OU PRÍNCIPE ADEPTO)

Título dado ao maçom no grau 28º do Rito Escocês Antigo e Aceito.

CAVALEIRO ELEITO DOS NOVE

Título dado ao maçom no grau 09º do Rito Escocês Antigo e Aceito.

CAVALEIRO KADOSH (OU AREÓPAGO DE KADOSH)

Título dado ao maçom no grau 30º do Rito Escocês

Shutterstock.com/ StudioLondon

Antigo e Aceito (também Areópago ou Cavaleiro Kadosh).

CAVALEIRO PRUSSIANO (OU NOAQUITA)

Título dado ao maçom no grau 21º do Rito Escocês Antigo e Aceito.

CAVALEIRO ROSA-CRUZ

Título dado ao maçom no grau 18º do Rito Escocês Antigo e Aceito.

CAVALEIROS DA SERPENTE DE BRONZE

Título dado ao maçom no grau 25º do Rito Escocês Antigo e Aceito.

CAVEIRA E OSSOS CRUZADOS

Símbolo da mortalidade e da morte (usado na Câmara de Reflexão). O crânio é frequentemente relacionado à abóbada celeste, remetendo à semelhança entre o humano e o universal. Simboliza também a transitoriedade. Os alquimistas o viam como o recipiente material do espírito e, por isso, utilizavam o crânio nos processos de transmutação. Diversos povos cultuavam o crânio como sede do espírito.
Os ossos são emblema da morte, da degradação e da renúncia. Sua mensagem remete à igualdade dos seres humanos e lembra a necessidade de abandonar as vaidades, pois nada de material levamos deste mundo. Na Câmara de Reflexões indicam ao futuro maçom que deve se desprender das ossadas terrenas, da putrefação do túmulo, para nascer de novo.

CEDRO DO LÍBANO

Madeira com que foi construída a Arca da Aliança.

CERTIFICADO (OU CERTIFICADO DE GRAU)

Documento com o qual uma Loja atesta que um irmão é Aprendiz ou Companheiro maçom.

CETRO

Símbolo de poder. Na maçonaria figura como atributo de Salomão e demais soberanos, que constam da tradição da Ordem.

CHACRAS (OU CHAKRAS)

Palavra sânscrita que significa "roda". Segundo a filosofia hindu, são centros que atuam em todo o corpo humano, portais por onde entram as forças divinas. Ao todo, são sete chacras.

CHANCELER (GUARDA DOS SELOS)

Oficial de uma Loja, responsável pelo livro de frequência da guarda dos carimbos e timbres da Loja (ou da Ordem) que são apostas nos documentos. Cargo confiado a um Mestre de impecável reputação.

CHAVE

Símbolo da guarda do segredo, prudência e distinção – figura também como joia de Oficiais e a insígnia do grau 7º do Rito escocês Antigo e Aceito.

CHEFE DO TABERNÁCULO

Título dado ao maçom no grau 23º do Rito Escocês Antigo e Aceito.

CINCO

É a Dúada adicionada à Tríade – soma do primeiro número par com o primeiro ímpar, pois os pitagóricos consideravam que o um não era um número verdadeiro. Por conta disso, o cinco é visto como excepcional. Os pitagóricos o consideravam símbolo do casamento e da síntese – a união do dois e do três. É o número dos cinco dedos da mão, das cinco chagas de Cristo, das cinco colunas de devoção no islamismo, dos cinco sentidos. Os alquimistas com a quintessência (o quinto elemento, além da terra, água, fogo e ar) o espírito que cria e conserva a vida.

A simbologia do número cinco está representada na estrela de cinco pontas ou flamejante, o Pentalfa de Pitágoras. Está indissoluvelmente associado ao número sete. Albert Pike lembra que "Cristo alimentou Seus discípulos e a multidão com cinco pães e dois peixes, e dos restos sobraram doze, isto é, cinco mais sete, cestas cheias".

Shutterstock.com/ aninata

Os sete chakras, chave da medicina ayurveda, seus símbolos e localização no corpo

CINZEL

Instrumento usado por escultores e gravadores, é um dos símbolos do grau de Aprendiz, pois é destinado a desbastar a pedra, transformando a pedra bruta e informe em pedra cúbica, usada nas construções. Desta forma, seu uso representa, para o Aprendiz, o aperfeiçoamento e o conhecimento de si mesmo.

É símbolo do discernimento e dos conhecimentos adquiridos; igualmente, emblema da força, da tenacidade e da perseverança. Representa o passivo, sempre associado ao malhete, o ativo. O cinzel simboliza a Razão, a Inteligência, enquanto que esotericamente, é o físico, ou a matéria sobre a qual atua o espírito (o maçom).

> A essência número CINCO é o Espírito de Deus, capaz de não permitir que os QUATRO elementos se equilibrem. Assim, enquanto com eles coexistir a QUINTA essência, a vida estará nele presente e suas forças não serão capazes de se neutralizar DUAS a DUAS. Essa Quinta Essência é o hálito, a respiração que mantém a Vida, que permite ao ser manifestar-se como um ser vivo e que une o Espírito de Deus que, simbolicamente, conforme narra a Bíblia, lhe foi transmitido através de um "sopro" em suas narinas, "sopro" este que constitui o "fôlego da vida". Feito de barro ele era matéria inerte. Recebido o "sopro" do "fôlego da vida", tornou-se uma "alma vivente".
>
> Boanerges B. Castro - O Simbolismo dos Números na maçonaria

Shutterstock.com/ Filip Fuxa

O templo e observatório de Stonehenge, Inglaterra

CIRCUM-AMBULAÇÃO (RITO)

Nas antigas iniciações, normalmente formava-se uma procissão ao redor do altar ou de outro objeto sagrado. A este rito chamou-se circum-ambulação. O termo remete à reprodução do movimento circular e também à demarcação de uma área sagrada em torno de um ponto central. A imagem circular está presente, por exemplo, no simbolismo de transformação da missa, bem como na mandala. De acordo com o psicólogo suíço Karl Jung, a circum-ambulação no sentido horário dirige-se à consciência, enquanto uma circum-ambulação no sentido anti-horário, ao inconsciente. Jung também relacionou os sonhos ao movimento circular. Para ele, como manifestações de processos inconscientes, os sonhos podem ser observados como se girassem ao redor de um ponto. O movimento circular da circum-ambulação remete, de fato, ao simbolismo do círculo.

O termo circum-ambulação era igualmente empregado na alquimia, significando uma concentração no centro ou lugar da mudança criativa. Os alquimistas viam o círculo como uma metáfora para a contenção necessária para resistir às tensões produzidas pelo encontro de opostos.

De fato, o simbolismo do círculo remonta aos primórdios da humanidade e está entre os símbolos mais universais. Aparece em representações de absolutamente todas as culturas do planeta. E em todas as épocas.

Os primeiros templos-observatórios construídos pelo homem, como Stonehenge, na Inglaterra, são circulares, e o uso do círculo nas "rodas de medicina" dos índios norte-americanos era parte do conhecimento dos xamãs. O círculo também é um símbolo do absoluto e da perfeição. Por isso, para os filósofos neoplatônicos, este símbolo incorporava Deus, o centro do Cosmos. Por ser uma forma potencialmente sem começo nem fim, o círculo é o mais importante e universal entre todos os símbolos geométricos. Nossos ancestrais percebiam o movimento circular nos ciclos das estações e do céu e presumiam que o universo fosse circular. Nesse sentido, o círculo é associado ao tempo e à infinitude, frequentemente sob a forma de uma serpente que morde a própria cauda, chamada de ouroboros.

A maçonaria, herdeira das antigas tradições místicas e filosóficas, especialmente do corpo de iniciações conhecido como Mistérios da Antiguidade, pratica, como suas antecessoras, o rito de circum-ambulação. Aqui, a circum-ambulação é feita ao redor da Loja, que para os maçons simboliza o mundo.

COBERTO

Templo chaveado e livre de interferências e ou de pessoas estranhas à Ordem. Diz-se também do maçom que perdeu seus direitos por falta de frequência à Loja ou por falta de pagamento.

COBRIDOR DO TEMPLO

Oficial responsável pela guarda do Templo (é o encarregado de zelar para segurança do Templo pela parte externa da Loja durante os trabalhos) – também chamado de Guarda Externo.

COBRIR O TEMPLO

Expressão utilizada para se referir ao fechamento do Templo, ou quando um maçom retira-se da Loja em plena sessão, desde que por um motivo inadiável e grave.

COBRIR UMA BATERIA
Repeti-la com uma aclamação.

CÓDIGO MAÇÔNICO
Coletânea de preceitos que constituem o código moral da maçonaria.

COLAR
Parte do traje maçônico, utilizado por oficiais e dignitários maçons, em Lojas Simbólicas e em muitos graus capitulares e filosóficos. Em sua extremidade, são penduradas as joias.

COLÓQUIO
Debate organizado sobre determinados temas entre maçons e profanos.

COLUNA
Pilar cilíndrico que serve de ornato e sustentáculo da abóbada de uma Loja.

COLUNA CORÍNTIA
A coluna do Segundo Vigilante representa a Beleza – Serve para ornar, sendo também denominada de Coluna da Beleza.

COLUNA DA BELEZA
Outra designação dada à coluna "J", localizada à direita da entrada do Templo, e sob a responsabilidade do Segundo Vigilante.

COLUNA DA SABEDORIA
Outra designação dada à coluna "B", localizada à esquerda da entrada do Templo, e sob a responsabilidade do Primeiro Vigilante.

COLUNA DO NORTE
Designação dada à coluna "B", localizada à esquerda da entrada do Templo, e sob a responsabilidade do Primeiro Vigilante. Local onde ficam também os Aprendizes.

COLUNA DÓRICA
A coluna do Primeiro Vigilante – representa a Força para sustentar.

COLUNA DO SUL
Designação dada à coluna "J", localizada à direita da entrada do Templo, e sob a responsabilidade do Segundo Vigilante. Local onde ficam também os Companheiros.

COLUNA FUNERÁRIA
Aquela onde são gravados os nomes dos maçons falecidos.

COLUNA GRAVADA
Aquilo que está escrito (carta, memorandum etc.)

COLUNA JÔNICA
A coluna do Venerável Mestre – representa a Sabedoria - Para idear.

COLUNAS
Designação primeiramente das duas colunas simbólicas localizadas na entrada de uma Loja, Jaquim e Boaz. Uma das principais características do templo de Salomão eram as duas colunas do pórtico, chamadas Jaquim e Boaz. Estas colunas se tornariam uma característica das futuras lojas maçônicas. Jaquim e Boaz foram, provavelmente, copiadas dos dois obeliscos que costumavam ficar de frente da muitos templos egípcios. O altar do templo era feito de bronze, suspenso por doze touros do mesmo material. Como nos templos etruscos da Idade do Bronze, placas de metal foram usadas na decoração, fazendo o templo de Salomão brilhar. A ideia era que o intenso brilho refletisse a glória do Deus de Israel.
Provavelmente, o desenho do templo de Salomão tenha sido baseado num templo fenício do século X a.C. Isso não seria estranho, uma vez que o mestre projetista Hiram veio de Tiro, na Fenícia. Embora não se conheça nada além de descrições do edifício, o templo de Taïnat, na Síria, pode fornecer um paralelo grosseiro: duas colunas sustentando um pórtico diante de uma câmara externa, levando a uma câmara interior escura com um altar, a figura total é um retângulo.
Depois da construção do templo, todos os trabalhadores foram mortos para que não construíssem outro, devotado à idolatria, enquanto Hiram foi elevado ao céu.

COLUNAS GREGAS
Três das colunas do templo maçônico são, cada qual, exemplo das três ordens arquitetônicas gregas (Dórica, Jônica e Coríntia). São elas que, simbolicamente, sustentam a Loja de Aprendiz. Por conta disso, são relacionadas ao Venerável Mestre e aos Vigilantes – as autoridades que sustentam, com seu conhecimento, sabedoria e discernimento, a Loja.
A coluna Dórica, a mais forte, sem base e com um capitel simples, personifica a Força do homem, sendo, por isso, relacionada ao Primeiro Vigilante, responsável pela Coluna da Força. A coluna Jônica, mais esbelta, com uma base e um capitel trabalhados, com quatro voltas, representa a Sabedoria, sendo assim relacionada ao Venerável Mestre, personificação da Sabedoria. A coluna Coríntia, com um capitel de maior beleza plástica, é a representação da beleza, relaciona-se ao Segundo Vigilante, responsável pela Coluna da Beleza.

Shutterstock.com/ Aliaksei Zykau

Capitel coríntio

COLUNAS ZODIACAIS

Os signos zodiacais, assim como todos os mitos solares da Antiguidade, representam os ciclos da natureza. Por isso, representam o caminho do maçom em sua jornada rumo à Iluminação. Quando o candidato é encerrado na Câmara de Reflexão, ele é representado por Áries, passo inicial da renovação da natureza pelo Fogo, simbolizando o fogo interno, o ardor do candidato à procura da Luz. Como Aprendiz, percorre os signos Áries, Touro, Gêmeos, Câncer, Leão e Virgem, e continua como Companheiro através do zodíaco até chegar ao fim da sua caminhada maçônica, atingindo o Grau de Mestre – representado por Peixes, a total renovação da natureza, a volta do Sol e da vida, pronto para mais um ciclo.

Os atuais templos maçônicos têm 12 colunas que correspondem aos signos do zodíaco. Segundo Rizzardo da Camino, são a base mental da Loja. Três das principais colunas são representadas pelo Venerável Mestre da Loja e pelo Primeiro e Segundo Vigilantes. Há outra coluna totalmente invisível que se eleva do altar, ou Ara, até o Grande Arquiteto do Universo. Cada Dignidade e Oficiais da Loja, bem como cada Mestre, Companheiro e Aprendiz, representam uma coluna.

As colunas colocadas no pórtico da Loja são as Colunas de Salomão. São as famosas Joaquim e Boaz, construídas pelo arquiteto do Templo de Salomão Hiram Abiff e descritas na Bíblia, no Livro I Reis 7:15 a 22. São símbolos dos limites do mundo criado, da vida e da morte, do elemento masculino e do elemento feminino, do ativo e do passivo, do dia e da noite. Remetem, como o pavimento mosaico, à dualidade que permeia nossa realidade.

Shutterstock.com/ PhotoNXT

As colunas Jaquim e Boaz

COMAÇONARIA (LOJAS DE ADOÇÃO)

A partir da década de 1880, a admissão das mulheres na maçonaria foi restaurada através da Ordem Comaçônica, que admite mulheres em condições idênticas às do homem. "A Ordem Comaçônica deriva sua sucessão de Soberanos Grandes Inspetores Gerais do 33º de certos Irmãos pertencentes ao Supremo Conselho da França, fundado pelo Conde Grasse-Tilly", explica C.W. Leadbeater no seu livro *Pequena História da Maçonaria* (Editora Pensamento, tradução J. Gervásio de Figueiredo, 33º edição).

Shutterstock.com/ Aliaksei Zykau

A coluna dórica simboliza o Primeiro Vigilante

A Ordem surgiu em 1882, como resultado de uma cisma dentro da maçonaria francesa. Algumas Lojas, buscando o ideal do "maçom livre dentro da Loja livre", tornaram-se autônomas. Uma dessas Lojas, a Les Libres Penseurs (Os Livres-Pensadores), a qual pertencia a uma Obediência Maçônica então reconhecida, decidiu iniciar Marie Deraismes, uma escritora e conferencista conhecida pelos seus esforços a favor dos movimentos humanitários e feministas. Marie Deraismes foi iniciada em 14 de janeiro de 1882.

No entanto, passaram-se dez anos até que Deraismes iniciasse outras mulheres. Poucas semanas depois, em 4 de abril de 1893, estas Irmãs fundavam a La Grande Loge Symbolique Écossaisse de France, Lê Droit Humain (Grande Loja Simbólica Escocesa da França, Direitos Humanos).

A nova Grande Loja logo buscou estender suas ramificações a outros países e começou a trabalhar com os graus superiores. Em 1900, com ajuda de maçons de posse do 33º, a corporação foi elevada da posição de Grande Loja Operativa para a de Supremo Conselho do Rito Escocês Antigo e Aceito. A partir de então, a comaçonaria se espalhou por todo o mundo.

COMISSÃO

Grupo de maçons designado para uma determinada função.

COMPANHEIRO

Conforme Albert Mackey, um dos autores fundamentais da maçonaria, "o candidato sempre ascende, ele nunca fica parado, nunca volta atrás, mas cada passo que dá o leva a alguma nova iluminação mental – ao conhecimento de algumas das doutrinas mais elevadas".

Com efeito, em sua ascensão pelos graus da maçonaria, o Aprendiz passa a Companheiro e como tal aprende a explorar, a conhecer de fato, seus cinco sentidos, os quais o levam a conhecer a si mesmo para unir-se ao seu Eu Superior – o Atman dos hindus e budistas. Esta união ao elemento central de nossa espiritualidade leva, por sua vez, à iluminação. É o mesmo princípio do hinduísmo, do budismo e do cristianismo primitivo. Assim, o Companheiro recebe a Luz da Estrela Flamejante, um pentágono voltado para o alto que representa o homem em busca da espiritualidade. O Pentágono encerra a simbologia do cinco, o número do Grau de Companheiro. A idade do Companheiro é cinco anos.

COMPASSO

Este instrumento serve para uma das figuras geométricas mais cheias de simbolismo: o círculo. Mas o compasso também é um utensílio que pode tanto medir como transferir medidas. Sua posição traduz a estática e a dinâmica. Com suas hastes fechadas, ele somente marca um determinado ponto – um símbolo para o início da viagem empreendida pelo Aprendiz. Abertas, as hastes traçam o círculo – o infinito, o palco onde a vida acontece e evolui. Assim, o compasso é símbolo do espírito, do pensamento nas diversas formas de raciocínio, das qualidades espirituais, do conhecimento humano e também do relativo (círculo) dependente do ponto inicial (absoluto).

Os círculos traçados com o compasso representam as Lojas. Representam, igualmente, a Justiça, pela qual devem ser medidos os atos do homem. Da mesma forma, simboliza o comedimento na busca, uma vez que o círculo traçado pelo compasso delimita um espaço definido, representando o universo.

O uso do compasso na Loja maçônica também remete ao grau de Mestre. O homem dentro do círculo é o ponto marcado pela ponta seca do compasso. "No ponto", escreve Rizzardo da Camino, "nós estamos em Deus e Deus está em nós".

No Grau de Aprendiz, os ramos do Esquadro cobrem as hastes do Compasso, mostrando que a materialidade suplanta a espiritualidade, ou que a mente ainda está presa aos preconceitos e convenções, sem subsídios para procurar a Verdade.

COMPASSO MAÇÔNICO

Método de calcular o ano maçônico.

COMUNICAÇÃO

Ato de conferir graus sem as formalidades litúrgicas.

CONCLUSÃO

O resumo da análise que o Orador da Loja faz nos discursos e nas opiniões diferentes expostas pelos maçons que tomam parte da discussão de um assunto.

CONDIÇÕES PARA SER UM MAÇOM

1 - Ter mais de 21 anos de idade (ou ser emancipado).

2 - Ser de reputação e costumes irrepreensíveis.

3 - Ter profissão honesta, que lhe assegure meios de subsistência própria.

4 - Ter instrução suficiente para compreender os fins da Ordem e a energia moral necessária para cumpri-los.

5 - Não ter defeito físico que lhe impeça o cumprimento dos deveres maçônicos essenciais.

6 - Morar há pelo menos 6 meses na localidade da Loja onde pretenda ingressar.

7 - Obrigar-se ao pagamento dos encargos pecuniários estabelecidos nos regulamentos.

8 - Crer em um Ser Supremo.

9 - Ser proposto por pelo menos dois Maçons idô-

Emblemas maçônicos

neos, que o conheçam e possam avaliar sua conduta moral.

CONFEDERAÇÃO

Conjunto de Potências Maçônicas, com uma finalidade específica.

CONGRESSO

Denominação dada à Convenção ou Convento; reunião de várias Oficinas ou Potências, para decidir questões de organização, doutrina ou liturgia.

CONSELHO

Nome dado a algumas oficinas nos graus Capitulares do Rito Escocês Antigo e Aceito.

CONSELHO DA MESA REDONDA

Denominação da segunda sala da Loja no grau 22º do Rito Escocês Antigo e Aceito.

CONSELHO DAS LUZES

Comissão diretora da Loja.

CONSELHO DE CAVALEIROS KADOSH

Grupo de Lojas de perfeição, especificamente dos graus 19º ao 30º no Rito Escocês Antigo e Aceito.

CONSELHO DE PRÍNCIPES DO REAL SEGREDO

Composto pelos maçons do grau 32º do Rito Escocês Antigo e Aceito.

CONSISTÓRIO

Denominação dos graus 31º e 32º do Rito Escocês Antigo e Aceito.

CONSTELAÇÕES

O simbolismo dos planetas relaciona a ordem celeste com a ordem humana e planetária (estações do ano). Na abóbada do templo estão representadas as constelações de:

Boieiro - para os gregos, esta constelação servia de guarda da Ursa Maior.

Escorpião - representada por Antares, o rival de Ares, deus da guerra dos gregos chamado de Marte pelos romanos. Segundo o mito grego, o escorpião foi instrumento de vingança de Ártemis, a Deusa da Caça, para envenenar Orion, o caçador, rival de Ártemis. Depois de ser picado, Orion começou uma perseguição ao escorpião. A perseguição continuaria até hoje, pois quando Orion está nascendo o escorpião está se pondo e vice-versa.

Leão - outra constelação concebida pelos babilônios que associavam o Leão ao Sol; no teto do templo maçônico, é representada por Régulus. Na época dos babilônios, quando o Sol se encontrava em Leão, ocorria o Solstício de Verão (máximo afastamento do Sol em relação ao equador celeste).

Orion - é representada pelas Três Marias ou Cinturão da Espada de Orion.

Peixe Austral - encontra-se no hemisfério sul, sendo representada pela estrela "Formalhaut", que em árabe significa "a boca do peixe austral".

Touro - segundo os babilônios, esta constelação marcava o começo do ano, com o aparecimento, de manhã, das Plêiades.

Ursa Maior - representada no teto do templo maçônico por seis estrelas colocadas aleatoriamente sem nenhuma relação com a forma da constelação. Também na descrição inicial constam sete estrelas, mas a gravura só possui seis.

Virgem - a maior constelação do zodíaco. A Virgem representava a rainha das estrelas – a deusa Ishtar, dos babilônios, deusa da fertilidade, relacionada ao Grau de Companheiro.

CONSTELAÇÕES - ESTRELA FLAMEJANTE

Estrela mística, localizada acima do trono do Segundo Vigilante, relacionada com o Grau de Companheiro Maçom. Não é a única estrela da Loja. Além das constelações que formam os símbolos do zodíaco, há três estrelas: uma de cinco pontas, outra de seis e a terceira de sete. A Flamejante tem seis pontas. Em geral, é feita de cristal e iluminada por dentro através de uma lâmpada. No centro, pode haver uma letra G, isto é, o Grande Geômetra, ou a letra J, de Jeová. Estas letras

Shutterstock.com/ angelinast

A constelação da Ursa Maior

às vezes são substituídas pelo *ouroboros* – uma cobra mordendo a própria cauda, símbolo da inteligência suprema e eterna.

A estrela flamejante é relacionada a Hórus, filho de Osíris, deus dos céus. Com cabeça de falcão, seus olhos representavam o Sol e a Lua. Olho de Hórus ou "Udyat" é um símbolo que significa proteção, coragem e poder. Era um dos mais poderosos e mais usados amuletos no Egito em diversas as épocas.

O simbolismo da Estrela Flamejante evoca o Sol ou o Fogo Sagrado – reflexos da Luz de Deus. É um emblema da unidade do espírito com a matéria manifestada no Universo.

A estrela de cinco pontas, por sua vez, representa o homem perfeito em seus cinco aspectos – físico, emocional, mental, intuitivo e espiritual (veja Pentagrama). A estrela de sete pontas evoca o misticismo do número sete: as sete cores do arco-íris, as sete notas musicais, os sete estados de consciência do homem, os sete raios cósmicos etc.

CONSTELAÇÕES - PLANETAS

Estão representados por estrelas de cinco pontas, preenchidas de preto com um círculo interno branco. O único planeta representado por sua forma original é Saturno com seus anéis. Segundo Álvaro de Queiroz, no teto do templo maçônico "as dimensões (de Saturno) não correspondem à realidade, pois temos Mercúrio equivalente a Júpiter e maior que Vênus".

Júpiter - é o planeta gigante, com brilho menor apenas que o Sol, a Lua e Vênus. Júpiter – o Zeus dos gregos – era filho de Saturno, levado pelos prazeres sexuais, tendo seduzido muitas heroínas e se tornado pai de inúmeros filhos.

Marte - embora Marte esteja relacionado entre os cinco planetas conhecidos na Antiguidade, não está presente no teto do templo. "Este fato é estranho", comenta Álvaro de Queiroz, "pois, na terceira instrução de Mestre Maçom, encontramos as seguintes referências: na esfera de influências dos planetas com os signos, Marte se relaciona com Áries e Escorpião; na relação entre o elemento, o planeta e o signo, encontramos: Áries – Fogo – Marte e Escorpião - Água – Marte". Qual seria, de fato, o motivo de o planeta que representa o deus da guerra não figurar no céu do templo maçônico?

Mercúrio - é o planeta mais próximo do Sol, o mensageiro dos Deuses. É bem visível logo depois do pôr do sol e ao amanhecer. Na mitologia era considerado o Deus da eloquência, dos comerciantes e dos ladrões. Era Mercúrio (Hermes para os gregos) que conduzia as almas ao Hades (o reino dos mortos) e as recuperava quando era preciso.

Shutterstock.com/ Vadim Sadovski

Saturno é o único planeta representado tal como é na iconografia maçônica

Saturno - é o planeta visível a olho nu mais distante, sendo equiparado a uma estrela de magnitude 1. É o único representado no céu do templo maçônico de acordo com seu aspecto verdadeiro, que inclui os anéis.
Vênus - é o planeta que mais se aproxima da Terra, e nestas ocasiões torna-se o terceiro astro em brilho, ficando atrás do Sol e da Lua.

CONSTITUIÇÃO

Uma das Grandes Luzes da Ordem. É uma lei básica de uma Potência Maçônica (veja Convenção e Convento).

CONSTITUIÇÃO DE ANDERSON

Muitos autores maçons situam a data do início da franco maçonaria com a fundação da Grande Loja de Londres, em 1717. Neste mesmo ano, A Grande Loja adotou os rituais compilados por Elias Ashmole e pediu ao pastor Jacob Anderson, em 1721, para produzir uma Constituição baseada nos antigos preceitos, tradições e regulamentos gerais da maçonaria operativa (a praticada exclusivamente pelos construtores desde a Antiguidade até o início da Idade Moderna). O novo estatuto substituiria as *Old Charges*, isto é, as "velhas obrigações" da maçonaria operativa – os Regimentos dos construtores medievais.
Anderson redigiu uma Constituição que juntou as histórias lendárias da fraternidade e os Compromissos e Regimentos dos construtores. O *Livro das Constituições* foi publicado em 1723. É um marco da franco-maçonaria. O escritor e maçom C. W. Leadbeater afirma que "talvez a característica mais marcante dessa Constituição seja a definida eliminação de todas as barreiras religiosas para se filiar à Ordem. Nossos antigos Irmãos operativos haviam sido, certamente, cristãos e católicos, mas agora a universalidade dos Mistérios tinha que ser de novo demonstrada pela exclusão de todas as limitações sectárias".

CONSTITUIÇÃO GÓTICA

Celebrada no ano de 926, onde foram redigidas as Constituições Góticas. Na Convenção de York, são os documentos maçônicos mais antigos que se conhecem. (O mesmo que Convenção de York; veja Manuscrito de Halliwell).

CONSTITUIÇÕES DE 1723

O mesmo que Constituição de Anderson.

CONSTRUÇÃO DO TEMPLO DE SALOMÃO

Símbolo maçônico e iniciático. O Templo de Salomão é o Templo da Paz (objetivo de um maçom sincero).

CONTRIBUIÇÃO

Auxílio espontâneo para uma determinada finalidade.

CONVENÇÃO

Denominação dada à reunião de várias Oficinas ou Potências, para decidir questões de organização, doutrina ou liturgia (também chamada de Congresso ou Convento).

CONVENÇÃO DE COLÔNIA

Celebrada no ano de 1535 para refutar as calúnias que naquele tempo circulavam contra a maçonaria.

CONVENÇÃO DE YORK

Celebrada no ano de 926, na qual foram redigidas as Constituições Góticas. São os documentos maçônicos mais antigos que se conhece (veja Manuscrito de Halliwell).

CONVENTÍCULO

Pequena assembleia secreta, regular, de maçons.

CONVENTO

Assembleia anual de todos os deputados das Lojas de uma mesma Potência.

CONVENTO (VEP)

É a reunião de várias Oficinas ou Potências, para decidir questões de organização, doutrina ou liturgia (também chamado de Convenção ou Congresso).

CORDA DE 81 NÓS

É um adorno encontrado acima da cadeira do Venerável Mestre, tendo de cada lado quarenta nós, que se estendem pelo Norte e pelo Sul, terminando, seus extremos, em ambos os lados da porta Ocidental de entrada, em duas borlas representando a Justiça (ou Equidade) e a Prudência (ou Moderação). Esta abertura na corda significa que a maçonaria é dinâmica e progressista, estando, portando, sempre aberta a novas ideias que possam contribuir para a evolução do homem e para o progresso racional da humanidade.

Segundo Álvaro de Queiróz, é um dos símbolos maçônicos mais misteriosos, não se tendo notícia de quando surgiu. Embora o nome seja Corda de 81 Nós, na verdade sua forma é a de uma lemniscata, a figura que representa o infinito. Estes laços também foram chamados de Laços do Amor – daí uma das muitas interpretações de seu significado, o de laços de união fraternal que envolvem os maçons para sempre.

Em seu livro, José Castellani, um dos maiores autores maçons do Brasil, descreve a Corda de 81 Nós como "um dos ornamentos do templo maçônico, em alguns ritos, e é encontrada no alto das paredes, junto ao teto e acima das colunas zodiacais". Ainda segundo o autor, sua origem está nos antigos trabalhadores em cantaria medievais, que cercavam o seu local de trabalho com estacas, às quais eram presos anéis de ferro, que, por sua vez, ligavam-se, uns aos outros, através de elos.

A corda é feita de muitos fios, os quais, isolados, são frágeis, mas que unidos são extremamente resistentes. É o símbolo da "união faz a força". Assim, a corda também representa a Cadeia de União. Os nós feitos em espaços regulares têm um duplo sentido. Significam os elos da cadeia, isto é, os próprios maçons que se unem sem se fundirem nem perderem a individualidade. Seu outro sentido tem a ver com as dificuldades da vida, lembrando ao maçom que ele deve esperar pelo pior e que para se conquistar alguma coisa deve se desatar o nó. O número de nós do cordão – 81 – remete ao simbolismo do número 9. Os 81 nós são o resultado da multiplicação do 9, o símbolo da imortalidade, da regeneração e da vida eterna, por ele mesmo.

CORDEIRO

Símbolo da mansidão no grau 17º, do Rito Escocês Antigo e Aceito.

CREDENCIAL

Documento expedido por uma Loja ou por uma Potência, outorgando poderes (plenos ou limitados), especificamente para determinados atos.

CRENÇA EM DEUS

Condição indispensável e primeira para que uma pessoa possa ingressar nos mistérios da maçonaria. "Qualquer que seja a religião de um homem, ele não será excluído da Ordem, contanto que ele acredite em Deus".

CUBO

O cubo simboliza a estabilidade, o planeta Terra; para o maçom é o signo que o lembra da obra-prima que o Aprendiz deve começar a preparar, trabalhando na pedra bruta e, portanto, a perfeição, a realização espiritual e de si mesmo. Associado à esfera, simboliza a totalidade das coisas, o universo. Associado à pirâmide quadrangular, simboliza a pedra.

CUNHADA

Tratamento que os maçons dão às esposas dos seus irmãos da Ordem.

Cerimônia do Terceiro Grau em Loja parisiense (c. 1745)

Wikicommons

D

DAR A PALAVRA

Prerrogativa que o Venerável Mestre dá aos maçons, para que estes se manifestem sobre determinado assunto.

DATAS IMPORTANTES DA MAÇONARIA

12/03/1683 Nascimento de Jean Theophile Desaguliers (um dos fundadores da moderna maçonaria)

12/05/1725 Criação do Grau de Mestre Maçom

28/09/1738 Papa Clemente XII condena a maçonaria na Carta Apostólica In Eminenti

13/09/1740 Fundação da Grande Loja Nacional Os Três Globos (Berlim - maçonaria)

30/10/1740 Fundação da Grande Loja de Hamburgo (maçonaria)

12/08/1744 Os "três pontinhos" são usados pela 1ª vez em um documento (segundo Kurt Prober)

12/09/1748 Nascimento (em Barbados) de Prince Hall - o 1º maçom negro dos Estados Unidos

03/05/1763 Primeiro registro maçônico em Cuba (durante a ocupação inglesa)

06/03/1775 Prince Hall (1748-1807) torna-se o primeiro maçom negro dos Estados Unidos

Shutterstock.com/ Jon Bilous

Templo maçônico em Baltimore, EUA

03/06/1780 Johann Wolfgang von Goethe é iniciado na Lodge Amelia em Weimer (outras fontes citam 23/06/1780)

14/12/1784 Iniciação de Wolfgang Amadeus Mozart na lodge Zur Woltatigkeit

06/04/1785 Iniciação maçônica de Leopold, pai do compositor Wolfgang Amadeus Mozart

02/01/1798 Fundação da loja inglesa nº1 de Portugal

22/09/1804 Fundação do Supremo Conselho da França (maçonaria)

05/08/1813 Fundação do Segundo Supremo Conselho dos Estados Unidos em New York

27/12/1813 Unificação das Grandes Lojas Inglesas dos "Antigos" e dos "Modernos"

24/06/1815 Fundação da Loja Maçônica Comércio e Artes - Rio de Janeiro

08/01/1928 Fundação da Grande Loja do Rio Grande do Sul

Shutterstock.com/ stocktributor

Os degraus incorporam um simbolismo tão complexo como importante na maçonaria

DECORAÇÃO

É um conjunto de adornos que ornamentam uma Loja, variando de acordo com o grau em que está funcionando.

DECORAR AS COLUNAS

O ato dos Oficiais de uma Oficina ocuparem os seus respectivos lugares para os trabalhos maçônicos.

DECRETO

Decisão de uma autoridade, consubstanciada por um instrumento formal com que é notificada àqueles aos quais deve obrigar. É a decisão suprema do Grão-Mestre ou do Soberano Grande Comendador.

DEGRAUS DO TEMPLO

O simbolismo da escada e de seus degraus permeia a maçonaria. Segundo Rizzardo da Camino, em seu livro *O Rito Escocês Antigo e Aceito – Lojas de*

Perfeição, dos sete degraus existentes no Templo, o Companheiro percorre cinco e assim os dois restantes devem ser vencidos pelo Recipiendário ao grau de Mestre; esses dois degraus apresentam um tríplice significado: no sentido físico, o sexto degrau é a enfermidade que humilha os poderosos, enfraquece os fortes e impele todos, igualmente, à morte. No sentido intelectual, é a música ou harmonia dos sons que exercita sobre os espíritos uma maravilhosa influência, adoça os caracteres ainda que mais endurecidos e os dispõe para o bem.

No sentido moral, a tolerância maçônica que faz com que se respeitem todas as convenções, inclusive as erradas e faz com que estes erros sejam restaurados com o manto de indulgência.

No sentido físico, o sétimo degrau é a morte que destrói todas as partes do corpo humano, porém as preserva com novas formas.

No sentido intelectual é a astronomia que, elevando o homem além do mundo terrestre, parece colocá-lo em contato mais íntimo com o Soberano Regulador dos Céus.

No sentido moral, o sétimo degrau representa a conciliação maçônica, verdadeiro triunfo da Ordem que apaga entre os iniciados qualquer dissensão que possa nascer pela diferença de país, nascimento, condição social, classe, opinião política ou religiosa, unindo todos os Maçons num amplexo de amizade fraterna.

DELTA

Quarta letra do alfabeto grego. Triângulo Sagrado pelos maçons, símbolo da Divindade e da natureza. É o emblema da Tri-Unidade. É também o símbolo da tripla Força indivisível entre os maçons.

DELTA LUMINOSO

Localizado no Oriente, em cima do trono do Venerável Mestre, brilha o Delta Luminoso. É o símbolo do Poder Supremo. O Delta, ou Triângulo Equilátero, representação gráfica das tríades divinas, é o símbolo máximo presente em um Templo. O Delta maçônico tem, no centro do triângulo, as letras do nome hebraico de Deus. O Delta simboliza a Sabedoria Divina e a presença de Deus.

DEPUTADO

Oficial eleito que representa a Loja junto à sua Potência.

DEPUTADO GRÃO-MESTRE

Pode-se dizer, usando linguagem profana, que o deputado Grão-Mestre é o vice-presidente de uma Grande Loja. Na ausência do Grão-Mestre, seu de-

O Delta Luminoso com o Olho que Tudo Vê

putado assume, portanto, todas as suas prerrogativas. O cargo não surgiu imediatamente após a fundação da Grande Loja de Londres, mas quatro anos depois, em 1721. Na verdade, a necessidade da existência deste oficial surgiu porque os Grão-Mestres de origem nobre não deviam estar em atividade de simples confraria, isto é, aquela posição depreciava sua dignidade – mesmo sendo Grão-Mestre dos maçons. Não pode haver mais de um deputado Grão-Mestre por jurisdição.

DESBASTAR

Nas reuniões de banquete, é o ato de trinchar os manjares.

DESBASTAR A PEDRA BRUTA

Trabalho do Aprendiz Maçom, que com o Maço e o Cinzel, faz-se simbolicamente o desbaste da pedra-bruta, tentando livrar-se das asperezas do seu caráter.

DESENHO DE ARQUITETURA

Atas e demais escritos maçônicos.

DESPERTAR

Reiniciar as atividades maçônicas (de um maçom ou de uma Loja).

DESPOJAR DOS METAIS

Rito praticado por todas as obediências maçônicas do mundo. Simboliza o estado de nudez do candidato em relação a bens materiais.

DEUS

Na maçonaria, é denominado O Grande Arquiteto do Universo.

Deus Pai, de Johann Jakob Zeiller (afresco pintado entre 1744 - 48)

DEZ

O número dez representa o fim de um ciclo, e seu retorno à unidade. O dez inclui todos os outros números. Especialmente sete e três; e é chamado de número da perfeição. Pitágoras representou-o com a Tetractis, que tinha diversos significados místicos. Este símbolo é, algumas vezes, composto por pontos, outras vezes por vírgulas e, na Cabala, pelas letras do nome da Divindade. Os patriarcas, desde Adão a Noé, são dez, o mesmo número dos Mandamentos.

DIGNIDADES

Os cinco cargos mais importantes em uma Loja: o Venerável Mestre, o Primeiro Vigilante, o Segundo Vigilante, o Orador e o Secretário.

DIMENSÕES

Medidas simbólicas da Loja (relacionadas com a universalidade maçônica).

DIPLOMA

Documento oficial, de que constam os nomes e as qualidades maçônicas e profanas de um maçom. É expedido pela autoridade regular, firmado pelas primeiras dignidades da Loja, com a devida rúbrica do diplomado.

DISPENSA

Poder outorgado a uma autoridade ou Potência

O DEZ é o número sagrado do Universal Secreto e esotérico em relação à Unidade quanto ao Zero. Os números pitagóricos tinham no "1" e no "0" o primeiro e o último algarismo: Ele é o número do Mestre Secreto.

O número DEZ representa todas as manifestações que se encontram no Infinito e isto porque, como vimos, o Zero simboliza o Infinito e o Um, que dele se origina, é a manifestação deste mesmo Infinito. O número Um simboliza o Poder Positivo, masculino, enquanto que o Zero, o Poder Passivo, feminino. É no Zero que está o simbolismo do Caos e do Tempo (Cronos). Ele representa a Divindade Passiva, ou o estado latente da Energia. Essa Energia latente só se manifesta com o aparecimento do número Um. O estado de latência do Zero, no entanto, quando ativado, permite-lhe atuar junto às demais cifras multiplicando-lhes o valor.

Boanerges B. Castro – O Simbolismo dos Números na maçonaria

maçônica regular, para isentar um maçom ou grupo de maçons, do estrito cumprimento de seus deveres, direitos e funções de certas prerrogativas maçônicas.

DOIS

Ou Dúada, é o símbolo do Antagonismo, do Bem e do Mal, Luz e Trevas. São as colunas Joaquim e Boaz – o princípio dualista do mundo. Para os pitagóricos, o dois é o primeiro número real, pois representa a primeira pluralidade: somente a dualidade engendra a multiplicidade. É o símbolo numérico da duplicação, da separação, da discórdia, do antagonismo, do conflito. Ao mesmo tempo, representa equilíbrio e movimento que aciona todo o progresso.

DOZE

Número perfeito, reverenciado pela maioria dos povos da Antiguidade. Manifesta a Trindade nos quatro cantos do horizonte e está presente em vários símbolos importantes, como o Hexagrama e a Cruz. Muitos aspectos dos mitos antigos relacionam-se ao número doze, por exemplo: os doze discípulos de Jesus, os doze meses do ano, os doze anjos das divisões celestiais, as doze tribos de Israel, as doze divindades principais da mitologia grega, os doze signos do zodíaco. É o número das linhas de igual comprimento que formam o cubo. O estudo do número doze fecha as Instruções contidas nos Rituais dos Três Graus da Maçonaria Simbólica.

Dentre os vários aspectos que o número DOZE oferece para estudo, ressalta um a que a maçonaria dá relevo, mas que, como todos os outros relativos aos números em geral, aborda superficialmente, sem dar destaque necessário à sua compreensão. É o Zodíaco. Cientificamente, o Zodíaco é uma zona da esfera celeste cortada ao meio pela eclíptica, e em que estão contidas as DOZE constelações que o Sol parece percorrer durante o ano (...) Áries, Touro, Gêmeos, Câncer, Leão, Virgem, Libra (Balança), Escorpião, Sagitário, Capricórnio, Aquário e Peixes.

Boanerges B. Castro O Simbolismo dos Números na maçonaria

Segundo o Ritual de Aprendiz, o número DOIS "é um número terrível":

"O número dois é um número terrível, um número fatídico. É o símbolo dos contrários e, portanto, da dúvida, do desequilíbrio e da contradição. Como prova disso, temos o exemplo concreto de uma das sete ciências maçônicas – a Aritmética – em que 2 + 2 = 2 X 2.

Até na Matemática o número dois produz confusão, pois, ao vermos o número 4, ficamos na dúvida, se é resultado da combinação de dois números pela soma ou pela multiplicação, o que não se dá, em absoluto, com outro qualquer número. Ele representa o Bem e o Mal; a Verdade e a Falsidade; a Luz e as Trevas; a Inércia e o Movimento, enfim, todos os princípios antagônicos, adversos. Por isso representava, na Antiguidade, o "inimigo", símbolo da Dúvida, quando nos assalta o espírito".

Ritual do Aprendiz

Shutterstock.com/ F. JIMENEZ MECA

Objetos simbólicos maçônicos

E

E.'. V.'. D.'.

Do Latim *Egregius Vixit Domino* (Viveu para O Senhor). Usado nas lápides dos túmulos de maçons ilustres, que prestaram grandes serviços à comunidade.

ENDOENÇAS

Cerimônia celebrada na Sexta-Feira Santa, exclusivamente para os iniciados acima do grau 19º.

ENTRE COLUNAS

Local onde um maçom fica em Loja, para ser sabatinado, apresentar uma peça de arquitetura ou outro trabalho. Termo também utilizado para especificar o que está sendo dito, deve ser mantido no mais profundo segredo.

ESCADA DE JACÓ

Trata-se da alusão bíblica à escada que Jacob teria visto em sonho. Símbolo da via ascendente até o céu através das três virtudes: Fé, Esperança e Caridade.

Wikicommons

O Sonho de Jacó, por William Blake (c. 1805)

ESCADA EM ESPIRAL

Um dos símbolos mais importantes da tradição maçônica é a Escada em Espiral. A espiral é o símbolo imemorial da força vital, uma das formas que se repetem com mais constância na natureza. Também na arte, as espirais são um dos motivos decorativos mais comuns. O significado deste símbolo representa o tempo, os ciclos da natureza e do nascimento e morte. Os símbolos que empregam espirais duplas, como o Caduceu de Hermes – o ícone adotado pela medicina –, sugerem equilíbrio de opostos, mas, em alguns casos, como a kundalini indiana, remete à fertilidade.
O simbolismo da Escada em Espiral é ligado ao grau de Companheiro e se baseia em um verso bíblico do sexto capítulo do Primeiro Livro de Reis: "A porta para a câmara do meio estava do lado direito da casa; e eles subiram pelas escadas em espiral à câmara do meio e saíram da do meio para a terceira".
A Escada em Espiral começava no pórtico do Templo de Salomão. O pórtico, por sua vez, representa a Presença Divina. Ao entrar neste templo simbólico de conhecimento, o candidato se torna Aprendiz. Quando o candidato avança outro grau e se torna Companheiro, sua verdadeira educação maçônica tem início. Esse momento é simbolizado pela escada em espiral, "que convida-o a ascender e que, como símbolo do discípulo e da instrução, ensina-lhe onde deve começar seu trabalho maçônico – aqui ele deve iniciar as pesquisas gloriosas, embora difíceis, que o levarão à posse da verdade divina", escreve Albert Mackey. No alto desta escada, no Grau do mestre, estão os tesouros do conhecimento, a Verdade maior.
O número de degraus da escada em espiral maçônica é sempre ímpar. O arquiteto romano Vetrúvio, que viveu no século I da nossa Era, testemunhou que os templos antigos sempre tinham um número ímpar de degraus. Assim, se o fiel começasse a subir a escada com o pé direito, chegaria ao último degrau pisando-o com o mesmo pé que iniciou a subida – um sinal de bom presságio.
Albert Pike escreve que "para voltar à sua fonte no Infinito, os antigos afirmavam que a alma humana tinha que ascender, tal como havia descido, através das sete esferas. A Escada pela qual a alma sobe novamente tem, de acordo com Marsilius Ficinus, em seu *Comentários sobre a Enéada de Plotino, sete degraus ou passos*; e nos *Mistérios de Mitra*, levados a Roma durante a época dos Imperadores, a escada, com suas

sete voltas, era um símbolo relacionado à sua ascensão através das esferas dos sete planetas. Jacó viu os Espíritos de Deus subindo e descendo por ela; acima dela estava a Divindade".

ESCOCÊS TRINITÁRIO (OU PRÍNCIPE DAS MERCÊS)

Título dado ao maçom no grau 26º do Rito Escocês Antigo e Aceito.

ESCOCISMO

Termo que designa o Rito Escocês Antigo e Aceito.

ESCRUTÍNIO

Votação.

ESFERAS

Bolas (brancas e pretas) utilizadas nos escrutínios secretos. Servem para exprimir os votos. A esfera branca aprova e a esfera negra reprova.

Shutterstock.com/ Olemac

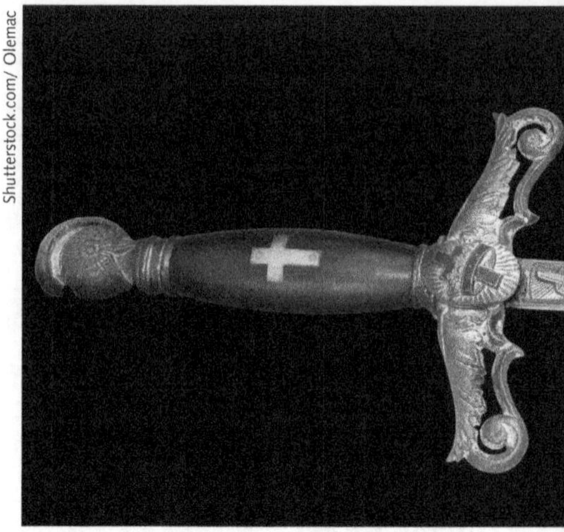

Espada cerimonial maçônica (século XIX)

Wikicommons

Édipo e a Esfinge, de Gustave Moreau (1864)

ESFINGE

Emblema do segredo maçônico e das quatro divisas exigidas do maçom: "saber" (relacionado à cabeça), "ousar" (garras de leão), "poder" (corpo de leão ou de touro) e "calar" (mutismo da expressão). Essas divisas também são os quatro pilares do Templo de Salomão.

ESPADA

Símbolo das virtudes militares e do direito do homem de defender seus domínios. É emblema da força masculina e da valentia e, por extensão, do poder e do Sol. Por ser afiada e cortante, representa a decisão e a separação do bem e do mal, remetendo à justiça. Na maçonaria, é portada pelo Cobridor do Templo, o qual, simbolicamente, deve usá-la para proteger o recinto contra intrusos indesejados. Uma espada embainhada significa temperança, uma das virtudes cardeais.

A maçonaria tem, também, uma espada flamejante – a arma divina. No mito de Adão e Eva, o primeiro casal humano foi expulso do Paraíso sob a ameaça da espada flamejante. Nas mãos do Venerável Mestre, ela remete à espada usada pelos reis para sagrar cavaleiros. Assim, a Espada Flamejante simboliza o poder de que o Venerável Mestre está revestido para "sagrar" Aprendizes, Companheiros e Mestres.

Albert Pike escreveu que a espada "é o símbolo da guerra e do soldado. As guerras, assim como as tempestades de raios, são muitas vezes necessárias para purificar a atmosfera estagnada. A Guerra não é um demônio sem remorso e sem recompensa. Restaura a fraternidade em letras de fogo. Quando as pessoas

Lápide em túmulo maçônico, no Forest Hills Cemetery, em Jamaica Plain, Boston, EUA

estão sentadas em seus lugares confortáveis, afundados em facilidades e indolência, com a ambição, a incapacidade e a pequenez usurpando todos os altos postos do Estado, a guerra é o batismo de sangue e o fogo mediante o qual elas podem ser renovadas. É o furacão que traz o equilíbrio elemental, a concordância do Poder com a Sabedoria. Enquanto estes continuarem obstinadamente divorciados, a Espada continuará a castigar".

ESPADA FLAMEJANTE

O mesmo que espada flamígera.

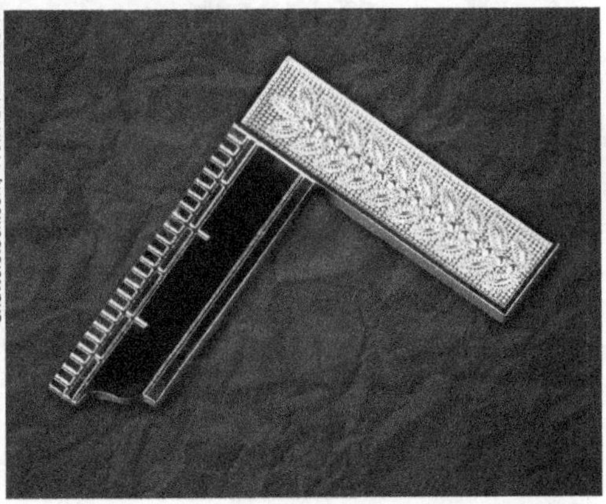

O esquadro está entre os símbolos maçônicos mais conhecidos

ESPADA FLAMÍGERA

Espada entregue ao Venerável Mestre, no dia da sua instalação. Sua lâmina é sinuosa, o que representa o fogo do céu. Nas mãos do Venerável Mestre, significa a potência espiritual.

ESQUADRO

Igualdade, justiça, a retidão de caráter. Representa a matéria ou o corpo físico. A retidão característica do Esquadro corresponde à retidão moral, caracterizada pelas ações de acordo com a lei, com o direito e com o dever, e a virtude de seguir retamente, sem se desviar, a direção indicada pela equidade. É, igualmente, emblema da ação do homem sobre a matéria e da ação do homem sobre si mesmo, lembrando que devemos pautar nossa conduta e nossas ações pela linha e pela régua maçônica. Representa a ideia da imparcialidade e precisão de caráter. Por conta disso, é signo da moralidade.

Para os antigos egípcios, o esquadro era um quadrado perfeito, usado no culto de Osíris para julgar os homens. Na maçonaria, representa a Terra e orienta a marcha do Aprendiz do começo ao fim. Trata-se do símbolo maçônico mais usado e conhecido. Todos os graus da maçonaria têm o esquadro como símbolo primário. Por ser uma figura geométrica, ele indica o equilíbrio do comportamento que conduz ao aperfeiçoamento humano no "caminho reto da justiça".

ESSÊNIOS

Seita dos tempos antigos que tem uma grande analogia com a sociedade maçônica. Os Essênios eram uma seita judaica ascética ativa entre o século III a.C. e o ano 70 d.C., quando o grupo foi desbaratado pelos romanos. Não se sabe ao certo qual é a origem do nome. Há os que julguem que o termo deriva do grego, do aramaico ou do hebraico.
Acredita-se que a seita foi originada pelos círculos religiosos anti-helenistas preocupados com a crescente difusão da cultura grega. Estes puristas lutavam para se manterem fiéis à Torá. Os estudiosos afirmam que a crise que levou os essênios ao isolamento do judaísmo aconteceu quando os príncipes macabeus – Jonatas (160 – 142 a.C.) e Simão (142 – 134 a.C.) – usurparam o ofício do sumo sacerdote. Isso consternou sobremaneira os judeus conservadores. Muitos não toleraram o sacrilégio e denunciaram os governantes. O resultado foi uma perseguição aos essênios e ao seu líder, o Mestre da Justiça – o que provavelmente acabou influenciando as visões apocalípticas da seita. Elas profetizavam a ruína do "sacerdote perverso" de Jerusalém e prenunciavam o início de uma Era messiânica, quando a comunidade seria finalmente reconhecida como os verdadeiros israelitas. Assim, estes judeus se isolaram no deserto, buscando se separarem dos "homens perversos". Uma das diversas comunidades que fundaram era a de Qumram.

ESTANDARTE DA LOJA

Bandeira que representa uma Loja maçônica.

ESTAR A COBERTO

Informar que o Templo está livre de estranhos ao quadro da Loja (está coberto e em segurança, tanto interna com externamente); manutenção dos segredos maçônicos e da pureza dos seus princípios.

ESTAR A NÍVEL (OU A PRUMO)

O mesmo que estar a coberto.

ESTATUTOS

Denominação da lei maçônica geral, promulgada por uma Potência, visando regular as atividades de todas as Lojas e maçons que trabalham em sua obediência.

ESTRELA

Nas Lojas maçônicas aparecem diversas espécies de estrelas, cujos significados convém considerar, pois no Templo nada existe por mera ornamentação.

ESTRELA FLAMEJANTE

Estrela hexagonal (ou de seis pontas), que é um dos ornamentos da Loja. É o símbolo da divindade cósmica. Para que isso torne-se mais evidente, traz inscrita em seu centro, a letra "G" é alusiva a Deus (ou Geômedra). É também o astro que ilumina e simboliza o Grau de Companheiro.

ESTRELA FLAMÍGERA

O mesmo que Estrela Flamejante.

EXALTAÇÃO

O mesmo que elevação a um grau superior (ex: elevação do Companheiro a Mestre).

EXALTAÇÃO AO GRAU DE MESTRE

Após a arguição do Companheiro, (uma série de perguntas feitas ao Companheiro), é celebrada a cerimônia de Exaltação. Em seguida, o Companheiro que está sendo elevado a Mestre ouve uma preleção recapitulando a Iniciação, enfatizando que o símbolo da morte indica que, ao morrer para os vícios, o candidato alcançaria a iluminação maçônica. Ouve, igualmente, a lenda de Osíris e Ísis, um dos maiores ensinamentos dos Mistérios Egípcios, quando era revelada a existência de forças misteriosas que possibilitam ao homem ter outra vida além da física e que a entrada e saída da existência terrestre são guardadas pelo terrível mistério da morte.
Durante a cerimônia de Exaltação, ele também toma conhecimento da lenda de Hiram Abiff, o arquiteto do Templo do Senhor, em Israel – símbolo do Grau de Mestre.

EXPERTOS

Dignitários de Lojas Simbólicas e substitutos eventuais dos Vigilantes.

O Grande Selo dos Estados Unidos incorpora símbolos maçônicos

F

FAZER FOGO
Na terminologia utilizada nos banquetes maçônicos, significa beber.

FÉRIAS
Suspensão temporária dos trabalhos maçônicos (por um período pré-determinado).

FESTAS DA ORDEM (OU FESTAS DE SÃO JOÃO)
Cerimônias solsticiais – a do verão é a festa do reconhecimento e a do inverno é a festa da esperança.

FESTAS DE SÃO JOÃO
Cerimônias solsticiais – a do verão é a festa do reconhecimento e a do inverno é a festa da esperança, ambas em homenagem aos Padroeiros da Ordem.

FILHO DA VIÚVA
Designação dada aos maçons entre si (especialmente do terceiro grau).

FILHO DE HIRÃO
Designação dada aos Mestres Maçons.

FILHOS DA LUZ
Forma frequente de designar os maçons.

FILIAÇÃO
Adesão de um maçom a uma Loja regular, diferente daquela em que ele foi iniciado.

FILOSOFIA
A maçonaria tem dois preceitos fundamentais: a adoração de um só Deus e a igualdade entre os homens. Segundo Rizzardo da Camino, um dos maiores autores maçons brasileiros, "sua presença marcante está em todos os livros sagrados". O autor diz que "quando surge a expressão 'mistérios' podemos ter a certeza de que estamos num caminho que nos conduz a algo próximo da maçonaria". Assim, os princípios maçônicos estariam imbuídos nas cerimônias secretas de celebração dos Mistérios de Osíris e Ísis, no antigo Egito, e de Elêusis e Dionísio, na Grécia. Os símbolos que expressam a filosofia hindu também estão repletos do caráter maçônico. "Graças a esses símbolos a filosofia maçônica pode ser conservada até hoje", diz da Camino. Por isso, "a maçonaria é uma filosofia que resistiu a todas as evoluções, fracassos e reabilitações". É uma filosofia de vida de caráter universalista, afirmando todas as obras do Grande Arquiteto do Universo, tanto as materiais como as espirituais.

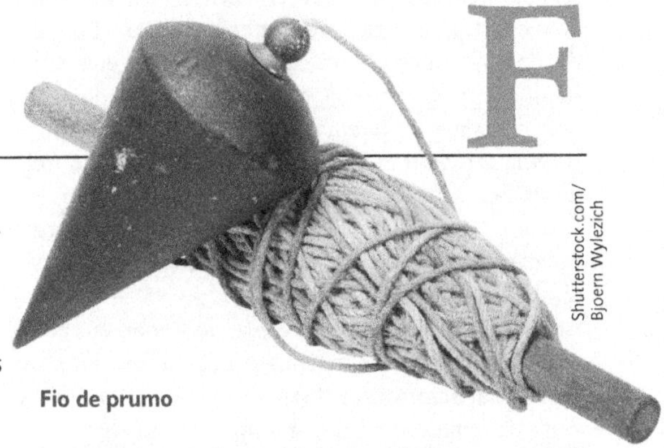
Shutterstock.com/ Bjoern Wylezich

Fio de prumo

FIO DE PRUMO
Este símbolo é exemplo da tradição dos construtores na linguagem da franco maçonaria. Na maçonaria operativa o fio de prumo serve para verificar a vertical correta para a construção. A maçonaria especulativa usa essa imagem para simbolizar a retidão do conhecimento, sem desvios. É outro signo associado a um segundo, representando uma das partes do todo que aquela Verdade encerra. O fio de prumo é o elemento ativo, de movimento e ação, que se associa ao nível, elemento passivo, de inércia e repouso.

FLORES
O simbolismo das flores e dos vegetais em geral é um dos mais antigos da humanidade. Cada qual continha um significado e elas foram usadas duran-

Shutterstock.com

As flores encerram um antigo alfabeto simbólico

te muito tempo não só em cerimônias, mas também para enviar mensagens. Mais que beleza, um buquê de flores continha uma combinação dos diversos significados das flores ali combinadas, transmitindo uma mensagem a quem recebia o ramalhete. A maçonaria também incorpora flores em seu conjunto de símbolos. O sentido simbólico é derivado não só da característica da flor (se, por exemplo, floresce no inverno, ou se tem perfume delicado etc.), mas também de sua cor:

Cravo (vermelho) - emblema do Amor, muitas vezes oferecido pelos maçons às pessoas que amam

Flor da acácia (amarela) - emblema da imortalidade da alma e da luz, sendo os espinhos um emblema dos raios do Sol

Lis (vermelho) - emblema da realeza e da autoridade

Rosa (amarela) - emblema da união

Rosa (branca) - emblema da alegria e pureza **Rosa (combinada com a cruz)** - símbolo do Homem-Deus que existe em cada homem

Rosa (negra) - emblema do silêncio

Rosa (vermelha) - mesmo significado do cravo vermelho; significa também paixão, dor e martírio

FOGO

Outro símbolo antiquíssimo incorporado pela maçonaria. O fogo é a fonte de energia necessária para nossa sobrevivência e para a realização de qualquer obra – grande ou pequena. Representa o amor pelo próximo e o entusiasmo por tudo o que é nobre e generoso. Na cerimônia da Iniciação, representa a purificação espiritual do candidato.

FORÇA

Um dos três sustentáculos de uma Loja, simbolizada por um dos ângulos do Triângulo misterioso ou Delta Sagrado. É também representado por uma das colunas sob a autoridade do Primeiro Vigilante.

FRANCO MAÇOM

Denominação utilizada para representar todos os maçons.

FRANCO-MAÇONARIA

A maçonaria se desenvolveu em sua forma moderna quando os ingleses, por volta do século XVI, transformaram os preceitos herdados da Antiguidade e os organizaram, criando normas, regulamentos e leis que transformaram a tradição do passado em um movimento prático. Os membros da nova Ordem, os maçons, sistematizaram, portanto, esse antigo conhecimento que vem atravessando a história através das Eras e das civilizações. Essa organização passou a ser conhecida como franco-maçonaria, uma referência aos "pedreiros-livres" das antigas guildas medievais. A franco-maçonaria também é conhecida como "maçonaria especulativa".

FRANJA ORLADA

O mesmo que borda ou orla dentada.

FUNDADORES

Nome que se dá aos maçons que constituem uma nova Loja, até a sessão inaugural solene e da regularização.

FUSTE

Parte da coluna compreendida entre a base e o capitel. Não é cilíndrica, diminuindo para cima cerca de uma sexta parte. Essa disposição, além de aumentar a solidez da coluna, dá-lhe mais graça.

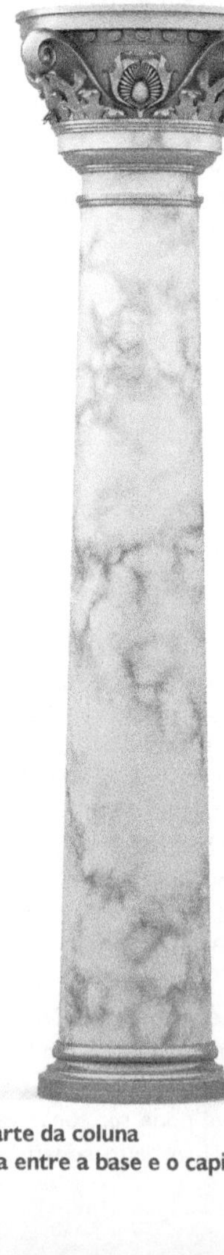

Shutterstock.com/ Shcherbakov Roman

O fuste é a parte da coluna compreendida entre a base e o capitel

G

G
Para os maçons, é a letra sagrada, inscrita no centro do esquadro. Significa:

1 - A primeira letra de Deus em inglês (God)

2 - O início da palavra Geometria (símbolo da arte da arquitetura)

3- O início das palavras Gnose, Gênio e Gravitação.

GABAON
Cada Mestre Maçom denomina-se de "Gabaon", palavra que indica o lugar onde repousara a Arca da Aliança que representava o Templo do Eterno. Isso lembra que o coração de cada maçom deve estar sempre aberto, como o era a Arca da Aliança, à união, à concórdia e à conciliação. Gabaon é também uma das palavras simbólicas cuja inicial possui a letra "G".

GARRA DE LEÃO OU DE MESTRE
Cumprimento característico dos Mestres Maçons.

GEMANOS, GEMANOS, MAS ESPEREMOS!
Palavras ditas no ritual de Luto, acompanhada da Bateria de Luto, em memória de algum maçom falecido.

GÊMEOS
Na maçonaria é o termo utilizado entre os irmãos que foram iniciados em uma mesma data e em um mesmo Templo.

GEOMETRIA
É a arte ou a ciência de medir. Representada nas cerimônias e simbologia maçônica, principalmente no grau de Companheiro.

GLÁDIO
Espada.

GLOBO
Esfera.

GNOSE
Palavra originada do grego *gnosis* que significa conhecimento e remete ao conhecimento de Deus dentro de si.

GOLPES
São os das baterias, determinados pelos Ritos e Grau respectivo.

GOTEIRA
Termo utilizado entre os maçons para dizer que uma pessoa que está entre os maçons não pertence à fraternidade.

GRANDE ARQUITETO DO UNIVERSO
Título da Divindade Suprema em todos os Ritos e Sistemas maçônicos de todo o mundo. De fato, o maçom "define" Deus como o Grande Arquiteto do Universo. Há, porém, diferenças entre o Deus religioso com o Grande Arquiteto, tanto que o Rito Francês omite no Altar a presença do Livro Sagrado, ou seja, a Bíblia, e distancia-se de Deus. O G.A.D.U. maçônico também tem a propriedade de ser "UNO", ou seja, não possui a Trindade Cristã. Para os maçons, o Grande Arquiteto possui as características de um arquiteto civil, profissional e projetista. A metáfora abrange a relação do Homem com seu Criador: na prática um arquiteto cria um projeto e não o executa, uma vez que necessita de colaboração de equipe, começando pelo desenhista e findando com o servente de obra. O arquiteto se limita, portanto, ao "projeto".

GRANDE CAPELÃO
O ofício foi estabelecido em 1775 pela Grande Loja de Londres. O Grande Capelão tem responsabilidade de ler as preces e os trechos sacros dos rituais em consagrações, funerais, dedicações e outros. O Grande Capelão não tem autoridade maçônica de fato, embora possua uma cadeira na Grande Loja e tenha direito de voto.

GRANDE CHANCELER E GUARDA-SELOS
O Chanceler da Grande Loja.

GRANDE COMENDADOR
Nome dado ao presidente do Supremo Conselho do Rito Escocês Antigo e Aceito.

GRANDE COMENDADOR DO TEMPLO
Título dado ao maçom no grau 27º do Rito Escocês Antigo e Aceito.

Deus, o Arquiteto do Universo (iluminura, século XIII)

GRANDE ELEITO PERFEITO (OU SUBLIME MAÇOM)

Título dado ao maçom no grau 14º do Rito Escocês Antigo e Aceito.

GRANDE ESCOCÊS DE SANTO ANDRÉ (OU PATRIARCA DAS CRUZADAS)

Título dado ao maçom no grau 29º do Rito Escocês Antigo e Aceito.

GRANDE INSPETOR

Título dado ao maçom no grau 11º do Rito Escocês Antigo e Aceito (também Grande Escocês).

GRANDE INSPETOR INQUISIDOR COMENDADOR

Título dado ao maçom no grau 31º do Rito Escocês Antigo e Aceito.

GRANDE INSPETOR LITÚRGICO

Título dado ao maçom no grau 33º do Rito Escocês Antigo e Aceito.

GRANDE LOJA

Uma Grande Loja é uma confederação composta de, pelo menos, três Lojas maçônicas que trabalham o mesmo rito maçônico. Assim, nas Grandes Lojas, normalmente, os Ritos são unificados. Quando isso não

O Freemasons Hall, em Londres

acontece, há um órgão dominante que reconhece as Lojas e que as autoriza a funcionar, pois, sob uma Grande Loja, as Lojas só podem funcionar com sua autorização.

As Grandes Lojas englobam as Potências ou Obediências Maçônicas Simbólicas cujas constituições moldam-se à forma de organização política adotada pela maçonaria inglesa. O governo da fraternidade nas Grandes Lojas é confiado a um Grão-Mestre e aos poderes legislativo, administrativo e litúrgico a uma Grande Loja ou Assembleia Geral da Fraternidade constituída pelos Veneráveis e Vigilantes das Lojas a elas jurisdicionadas.

De forma geral, as Grandes Lojas recebem reconhecimento da Grande Loja Unida da Inglaterra, e os Grandes Orientes são reconhecidos pelo Grande Oriente da França. No Brasil, além do Grande Oriente do Brasil (GOB), soberano e reconhecido pela Grande Loja Unida da Inglaterra, e as Grandes Lojas estaduais e Grandes Orientes independentes estaduais, há também Obediências soberanas e que não prestam obediência ao GOB. Com efeito, há no Brasil mais de cinquenta obediências regulares, gozando soberania e independência em sua base territorial, sem que isso implique num completo desregramento.

GRANDE LOJA DA FRANÇA

A Grande Loja da França foi fundada em 1738. Seus 33 anos de existência foram tumultuosos e culminaram com o fechamento da Loja pelas autoridades. Em 1772, a Loja foi substituída pelo Grande Oriente da França. Mas com a proibição para funcionar, surgem novas Lojas esparsas, chamadas de Lojas Escocesas e que obedeciam aos antigos usos das confrarias de operários. Foi quando apareceram inovações: os altos graus e os novos ritos. Além dos graus de Aprendiz, Companheiro e Mestre surgem os graus do "escocês", do "noviço" e do "Cavaleiro do Templo".

Ainda na França, em 1754, foi criado o Conselho dos Imperadores do Oriente e do Ocidente, que trabalhava com um Rito de 25 graus, o Rito de Perfeição ou Héredon. Foi este Rito que chegou às Américas, trazendo consigo os velhos preceitos de liberdade e igualdade entre os homens.

GRANDE LOJA DE LONDRES

A grande data da maçonaria foi 24 de junho de 1717, quando quatro Lojas se fundiram na Grande Loja de Londres. Seu primeiro Grão-Mestre foi Anthony Sayer. A partir de então, a Inglaterra se destacou como nenhum outro país enquanto protetora e incentivadora do movimento maçônico. A Grande Loja de Londres sedimentou a fraternidade. Através do pastor escocês James Anderson, foi redigida uma Constituição, que juntou as histórias lendárias da fraternidade e as obrigações dos franco-maçons. O *Livro das Constituições* foi publicado em 1723.

GRANDE LOJA DE YORK

A Loja mais antiga da Inglaterra, a Grande Loja de York, fundada em 926 d.C. e protegida pelo seu Grão-Mestre. O próprio rei Edwin da Inglaterra organizou os códigos e a constituição da Loja, distribuindo-os às demais Lojas, não só inglesas, mas de toda Europa.

Símbolos místicos medievais: muitos deles fazem parte dos ritos maçônicos

GRANDE MARECHAL

O grande marechal existe desde tempos remotos. Sua insígnia é um bastão azul de ponta dourada e ele é, quase sempre, nomeado pelo Grão-Mestre. Sua obrigação é proclamar os grandes oficiais em suas instalações.

GRANDE MESTRE ARQUITETO

Título dado ao maçom no grau 12º do Rito Escocês Antigo e Aceito.

GRANDE ORIENTE

Potência Maçônica a que estão subordinadas as Lojas Simbólicas a ela afiliadas. Um Grande Oriente é comandado por um Grão-Mestre.

GRANDE ORIENTE DO BRASIL

Apesar de a maçonaria ter começado oficialmente no Brasil em 1797 com a Loja Cavaleiros da Luz, sua primeira Obediência, o Grande Oriente Brasileiro (G.O.B.) só foi criada em 1822 por três Lojas do Rio de Janeiro – a Comércio e Artes na Idade do Ouro, a União e Tranquilidade e a Esperança de Niterói. Os primeiros mandatários da nova Potência foram José Bonifácio de Andrada e Silva, ministro do Reino e de Estrangeiros, e Joaquim Gonçalves Ledo.

O Grande Oriente Brasileiro teve papel fundamental na independência do Brasil. Apesar de Dom Pedro I também ter sido iniciado na Ordem, diante da rivalidade política entre os grupos de José Bonifácio e de Gonçalves Ledo, o então príncipe regente e futuro imperador suspendeu os trabalhos do Grande Oriente logo depois da Declaração da Independência, em 25 de outubro de 1822. Foi apenas com a abdicação de D. Pedro I, em 7 de abril de 1831, que a Potência foi reinstalada, agora com o nome de Grande Oriente do Brasil. Ativo desde então e contando com Lojas em todas as províncias, o Grande Oriente do Brasil continuou a influenciar a história do País.

Depois de conquistada a independência, o G. O. B. lutou pela libertação dos escravos em busca de promover a liberdade, a igualdade e a fraternidade entre os homens. Em 1850, o maçom graduado e membro do Supremo Conselho do Grau 33º, Euzébio de Queiroz fez passar a lei que leva seu nome, extinguindo o tráfico de escravos. Pouco mais de duas décadas depois, em 1871, o Visconde do Rio Branco, chefe de Gabinete Ministerial e Grão-Mestre do Grande Oriente do Brasil, fez aprovar a Lei do Ventre Livre, que declarava livre as crianças nascidas de escravas daquela data em diante.

Conquistada a abolição da escravatura, as Lojas maçônicas sob o Grande Oriente do Brasil passaram a lutar pelo fim da monarquia e pela instauração da república. Com efeito, a figura que mais destacou-se na implantação da república foi um maçom: Marechal Deodoro da Fonseca, que viria a ser Grão-Mestre do Grande Oriente do Brasil.

Durante a República Velha, como são chamados os primeiros quarenta anos da república brasileira, o Grande Oriente do Brasil continuou a influenciar a evolução política nacional. Neste período, houve vários presidentes maçons.

Em 1927, uma cisão originou as Grandes Lojas Estaduais brasileiras, o que enfraqueceu momentaneamente o Grande Oriente do Brasil. Contudo, a mais antiga Potência Maçônica do País recuperou-se. Hoje, ela congrega cerca de duas mil Lojas, com aproximadamente 61,5 mil obreiros ativos. Reconhecido por mais de cem Obediências regulares do mundo, o Grande Oriente do Brasil é a maior Obediência Maçônica do mundo latino e reconhecida como regular e legítima pela Grande Loja Unida da Inglaterra, de acordo com os termos do Tratado de 1935.

GRANDE PONTÍFICE (OU SUBLIME ESCOCÊS)

Título dado ao maçom no grau 19º do Rito Escocês Antigo e Aceito.

GRANDE PORTA-ESPADA

O grande porta-espada tem sua origem em um antigo costume medieval, no qual todos os grandes dignitários deveriam ter uma espada carregada diante deles como insígnia da sua dignidade. O costume é preservado até hoje na maçonaria. O Grão-Mestre tem uma espada carregada diante dele em todas as procissões públicas por um oficial especialmente indicado para este propósito. Esta posição foi inaugurada em 1731, quando o Grão-Mestre da Grande Loja de Londres apresentou para a instituição a espada de Gustavo Adolfo, rei da Suécia, que havia sido utilizada em combate. O Grão-Mestre ordenou que aquela arma seria usada como espada de estado, isto é, a espada que demonstra a dignidade de seu dono. Como resultado desta doação, foi instituído o ofício de Grande Porta-Espada. Algumas Lojas alteraram, porém, o título para Grande Heráldico.

GRANDE PORTEIRO

O ofício de grande porteiro existe dede os primórdios da organização de uma Grande Loja. Por conta da natureza de suas obrigações – a de vigiar a entrada da Loja – o grande porteiro não participa das discussões, nem testemunha os procedimentos da Grande Loja. O grande porteiro é indicado tanto pelo Grão-Mestre como pela Grande Loja.

GRANDE SECRETÁRIO

É um dos mais importantes ofícios de uma Grande Loja e deve sempre ser ocupado por um maçom de boa formação cultural e inteligência comprovada. Essa posição foi instituída na Grande Loja de Londres em 1723, durante o grão-mestrado do duque de Wharton. Além de registrar os acontecimentos da Grande Loja, o grande secretário é responsável por sua correspondência. É ele quem recebe e encaminha petições maçônicas ao Grão-Mestre ou à Grande Loja.

GRANDE SECRETÁRIO DE RELAÇÕES EXTERIORES

Grande Oficial de uma Potência Maçônica, responsável pelos assuntos com o exterior.

GRANDE SECRETÁRIO DE RELAÇÕES INTERIORES

Grande Oficial de uma Potência Maçônica, responsável pelos assuntos internos da Potência.

GRANDE SENESCAL

Título de Segundo Vigilante da Loja do grau 29º do Rito Escocês Antigo e Aceito.

GRANDE SOBERANO SACRIFICADOR

Título do Presidente do Tabernáculo, no grau 23º do Rito Escocês Antigo e Aceito.

GRANDE TESOUREIRO

O ofício do grande tesoureiro foi estabelecido em 1724. Suas funções são as mesmas dos tesoureiros de outras instituições, isto é, gerir os recursos financeiros da organização em questão. Na maçonaria, recomenda-se confiar esta posição a um "irmão de boa substância terrena", cujas posses o colocam acima da tentação de administrar em proveito próprio. Nos primeiros tempos da maçonaria especulativa, o cargo de tesoureiro era o único eletivo. Os outros eram todos nomeados.

GRANDE TODO

O Grande Arquiteto do Universo.

GRANDES ADMINISTRADORES

A primeira menção feita de um administrador está nos Antigos Regulamentos adotados pela Grande Loja de Londres em 1721. Antes disso, para a preparação da Grande Festa, os Grandes Guardiões recebiam auxílio de certo número de administradores nomeados pelo Grão-Mestre ou por seu Deputado. A partir de 1721, os grandes administradores, em número de 12, passaram a figurar entre os oficiais das Grandes Lojas.

GRANDES CONSTITUIÇÕES DE 1785

A Constituição responsável pelos Estatutos Fundamentais do Rito Escocês Antigo e Aceito.

GRANDES DIÁCONOS

Esta posição é relativamente moderna, uma vez que não há referências a ela nas primeiras Constituições maçônicas. São assistentes particulares para o Grão-Mestre e o guardião sênior na administração dos assuntos da Loja. São encontrados em todas as Grandes Lojas do Rito de Iorque e são normalmente nomeados, o sênior, pelo Grão-Mestre e, o júnior, pelo Grande Guardião Sênior.

GRANDES GUARDIÕES

Os grandes guardiões sênior e júnior são nomeados pelo Grão-Mestre, na Inglaterra, e pela Grande Loja, nos Estados Unidos. Sua obrigação é acompanhar o Grão-Mestre em suas visitas e assumirem as posições dos guardiões das Lojas visitadas.

GRANDES JOIAS

O Livro Sagrado, o esquadro e o compasso são as "Grandes Joias" e as "Grandes Luzes" da maçonaria. Quando a Loja está fechada, a Bíblia fica igualmente fechada. Quando, porém, a Loja está aberta, este livro é aberto e sobre suas páginas se coloca o esquadro como ângulo para o Ocidente. Sobre este, assenta-se o compasso com abertura de 45º, com as pontas também voltadas ao Ocidente.

GRANDES OFICIAIS

Denominação dada aos Oficiais que exercem funções na Grande Secretaria ou ocupam cargos na Alta Administração dos Altos Corpos administrativos maçônicos. Os primeiros são de nomeação do Grão-Mestre e os outros são eleitos.

GRÃO-MESTRE

Autoridade máxima de uma Potência Maçônica, o Grão-Mestre preside a instituição maçônica. Sua figura existe desde o início da ordem. O escritor maçom William Preston (1742 – 1818) é uma importante referência nos estudos da fraternidade. Preston atesta que nos primórdios da maçonaria, com a maçonaria operativa da Idade Média, o Grão-Mestre era eleito por uma Assembleia Geral. Essa assembleia era formada, escreve Preston, "por todos os membros que pertenciam à fraternidade em sua totalidade e dentro de um prazo proveniente poderiam participar, uma ou duas vezes por ano, sob os auspícios de um líder geral que era eleito e instalado em um destes encontros; e que pelo prazo definido era homenageado como o único governador de toda a instituição".

GRÃO-MESTRE ARQUITETO
Título do Presidente da Loja no grau 12º do Rito Escocês Antigo e Aceito.

GRÃO-MESTRE DE CAVALARIA
Título do Presidente Vigilante no Grau 15º do Rito Escocês Antigo e Aceito.

Shutterstock.com/ Hallbergsf

Maçaneta de templo maçônico em Estocolmo, Suécia: os símbolos são o alfabeto essencial da maçonaria

As Joias da Loja são em número de seis. Três são chamadas "Móveis", e três "Imóveis". O ESQUADRO, o NÍVEL e o PRUMO eram, antiga e adequadamente, chamados de Joias Móveis, porque eles passam de um Irmão para o outro. É um modernismo chamá-las de Imóveis só porque elas devem sempre estar presentes na Loja. As Joias Imóveis são a PEDRA BRUTA, a PEDRA CÚBICA ou, em alguns Rituais, o CUBO DUPLO e a TÁBUA DE TRAÇAR.

Sobre essas Joias, nossos Irmãos do Rito de York dizem: "O Esquadro inculca Moralidade; o Nível, Igualdade; e o Prumo, Retidão de Conduta." Suas explicações das Joias Móveis podem ser lidas em seus Rituais. Nossos Irmãos do Rito de York dizem que "em toda Loja bem dirigida existe a representação de um certo ponto dentro de um círculo, e que representa um Irmão, individualmente; o Círculo, a linha divisória de sua conduta, além da qual ele nunca sofrerá danos ou paixões que o traiam".

Albert Pike – Moral e Dogma

GRÃO-MESTRE DE CERIMÔNIAS
Título dado ao Mestre de Cerimônias nas Grandes Lojas.

GRÃO-MESTRE, SOBERANO GRANDE COMENDADOR
Título do Presidente do Supremo Conselho. É o Primeiro Dignitário da Grande Loja, que preside suas reuniões e trabalhos nas assembleias gerais dos Solstícios.

GRÃO MORDOMO
Um dos Oficiais da Loja no grau 29º do Rito Escocês Antigo e Aceito.

GRÃO NOTÁRIO
O Secretário da Loja no grau 29º do Rito Escocês Antigo e Aceito.

GRÃO PONTÍFICE
Um dos Oficiais da Loja no grau 19º do Rito Escocês Antigo e Aceito.

GRAUS MAÇÔNICOS
Os Ritos maçônicos são divididos em graus, etapas pelas quais o maçom deve passar ao longo de seu caminho em busca da iluminação. Embora variem de Rito para Rito e possam receber diferentes nomes, os graus se dividem em Graus Simbólicos e Graus Filosóficos.

Os três primeiros – Aprendiz, Companheiro e Mestre – são os chamados Graus Simbólicos. São obrigatórios e estão previstos nos *Landmarks* da Ordem, isto é, nas obrigações da maçonaria. Esses três primeiros graus remontam o ponto de partida da maçonaria, a construção do Templo do Senhor, em Israel. O santuário foi idealizado por Davi e realizado por Salomão e,

Shutterstock.com/ F. JIMENEZ MECA

Emblema do esmoler em Loja maçônica

por isso mesmo, ficou mais conhecido como Templo de Salomão. Os três Graus simbólicos da maçonaria representam a maneira como foi administrada a construção do Templo do Senhor.

O trabalho realizado nos graus ditos "superiores" ou filosóficos é optativo e de caráter – como induz o nome – filosófico.

Existem diversos sistemas de graus superiores, como o de 33 graus do Rito Escocês Antigo e Aceito, o de 13 graus do Rito de York e do Adoniramita, o de 7 graus do Rito Moderno e do Rito Escocês Retificado.

Os 33 Graus do Rito Escocês Antigo e Aceito se dividem em Graus Simbólicos, Filosóficos, Lojas de Perfeição, Capítulos, Areópagos e Administrativos. De acordo com o Grande Oriente Brasil, a ênfase iniciática dos Graus do Rito Escocês é a seguinte:

GRAUS SIMBÓLICOS

1º GRAU/ APRENDIZ - O Aprendiz é a fase do primeiro contato com o Simbolismo Maçônico. Aprende as funções de cada um no templo e sempre busca o desenvolvimento das virtudes e a eliminação dos vícios. Muitos maçons antigos afirmam que este é o mais importante de todos os graus.

2º GRAU/ COMPANHEIRO - A fase de Companheiro propicia ao maçom um excepcional conhecimento de símbolos, além de avanços ritualísticos e desenvolvimento do caráter.

3º GRAU/ MESTRE - É o chamado grau da plenitude maçônica. No âmbito do Simbolismo (Lojas Simbólicas) é o grau mais elevado.

LOJAS DA PERFEIÇÃO OU FILOSÓFICAS

4º GRAU/ MESTRE SECRETO - Nesse grau, o maçom aprende as virtudes do Silêncio.

Dvorko Sergey

A águia bicéfala é o símbolo mais comum associado ao Rito Escocês Antigo e Aceito

5º GRAU/ MESTRE PERFEITO - Aprende-se neste grau a meditação e é enfatizado o princípio moral de render culto à memória dos antepassados.

6º GRAU/: SECRETÁRIO ÍNTIMO ou MESTRE POR CURIOSIDADE - É dedicado à necessidade de se buscar o conhecimento, sem o qual não há progresso, mas aprendendo a dispensar a curiosidade vã, capaz de gerar o mal.

7º GRAU/ PREBOSTE E JUIZ ou MESTRE IRLANDÊS - Nesse grau estuda-se os princípios da Justiça, o Direito Natural e alguns princípios éticos da liderança.

8º GRAU/ INTENDENTE DOS EDIFÍCIOS ou MESTRE EM ISRAEL - Estuda a fraternidade do homem através de valores como o trabalho e o direito à propriedade.

9º GRAU/ CAVALEIRO (OU MESTRE) ELEITO DOS NOVE - Estuda a realidade dos ciclos, as forças negativas e a força da reconstrução.

10º GRAU/ CAVALEIRO (OU MESTRE) ELEITO DOS QUINZE - Estuda a extinção de todas as paixões e as tendências pouco proveitosas, censuráveis.

11º GRAU/ SUBLIME CAVALEIRO ELEITO ou CAVALEIRO ELEITO DOS DOZE - Dedica-se à regeneração.

12º GRAU/ GRÃO-MESTRE ARQUITETO - Estuda o poder da representação popular.

13º GRAU/ CAVALEIRO DO REAL ARCO - Estuda os magos pontífices do Egito e de Jerusalém.

14º GRAU/ GRANDE ELEITO OU PERFEITO E SUBLIME MAÇOM - É o grau mais alto das Lojas de Perfeição. Proclama o direito inalienável da liberdade da consciência, defendendo a educação digna.

CAPÍTULOS

15º GRAU/ CAVALEIRO DO ORIENTE DA ESPADA E DA ÁGUIA - Dedica-se à luta incessante para o progresso pela razão.

16º GRAU/ PRÍNCIPE DE JERUSALÉM - Estuda a vitória da liberdade como consequência da coragem e perseverança.

17º GRAU/ CAVALEIRO DO ORIENTE E DO OCIDENTE - Explora o Direito de reunião.

18º GRAU/ CAVALEIRO ROSA-CRUZ (OU CAVALEIRO DA ÁGUIA BRANCA E DO PELICANO) - É dedicado ao triunfo da Luz sobre as Trevas. É a libertação pelo Amor.

AREÓPAGOS

19º GRAU/ GRANDE PONTÍFICE OU SUBLIME ESCOCÊS - Fala sobre o triunfo da Verdade, estuda o pontificado.

O Areópago em Atenas

20º GRAU/ SOBERANO PRÍNCIPE DA MAÇONARIA OU MESTRE "AD VITAM" - É consagrado aos deveres dos Chefes das Lojas Maçônicas.

21º GRAU/ NOAQUITA ou CAVALEIRO PRUSSIANO - Estuda os perigos da ambição e o arrependimento sincero.

22º GRAU/ CAVALEIRO DO REAL MACHADO ou PRÍNCIPE DO LÍBANO - Estuda o trabalho como propagador de sentimentos nobres e generosos.

23º GRAU/ CHEFE DO TABERNÁCULO - Dedica-se à vigilância dos valores propagados pela Ordem e ao combate da superstição.

24º GRAU/ PRÍNCIPE DO TABERNÁCULO - Dedica-se à conservação das doutrinas maçônicas.

25º GRAU/ CAVALEIRO DA SERPENTE DE BRONZE - Dedica-se ao combate ao despotismo.

26º GRAU/ PRÍNCIPE DA MERCÊ ou ESCOCÊS TRINITÁRIO - Estuda princípios de organização social através da Igualdade e Harmonia.

27º GRAU/ GRANDE COMENDADOR DO TEMPLO - Defende princípios de governo democrático.

28º GRAU/ CAVALEIRO DO SOL ou PRÍNCIPE ADEPTO - Estuda a Verdade.

29º GRAU/ GRANDE ESCOCÊS DE SANTO ANDRÉ OU PATRIARCA DAS CRUZADAS - É dedicado à antiga maçonaria da Escócia.

30º GRAU/ CAVALEIRO KADOSCH OU CAVALEIRO DA ÁGUIA BRANCA E NEGRA - É um grau de estudos profundos a respeito do Simbolismo e Filosofia Maçônicos.

ADMINISTRATIVOS

31º GRAU/ GRANDE JUIZ COMENDADOR ou GRANDE INSPETOR INQUISIDOR COMENDADOR - Estuda o exame de consciência detalhadamente. Só os conscientes podem ser justos. Estuda-se História.

32º GRAU/ SUBLIME CAVALEIRO DO REAL SEGREDO, SOBERANO PRÍNCIPE DA MAÇONARIA - Estuda o poder militar.

33º GRAU/ SOBERANO GRANDE INSPETOR GERAL - É o último grau. Fecha o ciclo de estudos. É o guardião, mestre e condutor da maçonaria.

GRAUS INEFÁVEIS

São os graus do 4º ao 14º do Rito Escocês Antigo e Aceito.

GRAUS RITUALÍSTICOS

Graus que dividem os Ritos em séries ou ordens. Cada grau leva consigo seus ritos de iniciações particulares, seu livro de ritualística (manual), seu juramento, seus símbolos e modos de reconhecimentos especiais (sinal, palavra ou toque).

GRAUS SIMBÓLICOS

Os três primeiros graus da maçonaria, também chamados de Azul, compreendem os graus de Aprendiz, Companheiro e Mestre.

GRAVAR

Em linguagem maçônica, quer dizer escrever.

GRAVAR UMA COLUNA

Em linguagem maçônica, quer dizer escrever uma carta.

Emblema maçom do Orador

GUARDA DO TEMPLO

Oficial responsável pela guarda do Templo é o encarregado de zelar pela segurança do Templo, a parte interna da Loja, durante os trabalhos) – também chamado de Guarda Interno.

GUARDA DOS SELOS

(Chanceler) Oficial de uma Loja, responsável pelo livro de frequência dos maçons, da guarda dos carimbos e timbres da Loja (ou da Ordem) que é aposta nos documentos. Cargo confiado a um Mestre de decente reputação.

GUILDAS

Na Idade Média, a vida urbana se intensificou, exigindo mais classes profissionais que dessem conta de oferecer produtos e serviços aos moradores das cidades. Uma das consequências foi o surgimento de associações profissionais, as guildas. As guildas, ciosas de conservarem os segredos técnicos das profissões que representavam, adotavam certos ritos. Assim, o conhecimento maçônico se propagou nestas associações profissionais, principalmente na guilda dos pedreiros, que herdaram dos templários os segredos da construção do Oriente, bem como sua sabedoria ancestral.

Há indícios que este tipo de sociedade profissional existia desde a Antiguidade. As guildas de construtores romanos reuniam-se em suas *collegiae*, como se chamavam sua organização. Acredita-se que os símbolos e as regras do ofício eram detidos pela misteriosa *Magistri Comacini*, uma guilda de arquitetos sediada numa ilha fortificada no lago Como, após a desintegração do Império Romano. Através deles, os segredos da geometria sagrada e métodos de construção para os construtores italianos de Ravena e Veneza e, por meio deles, às guildas das artes e comércio da Idade Média. Os lugares de encontro dos Comacini eram chamados *loggia*, de onde, supõe-se, a palavra "loja" deriva. Os símbolos dos comacini incluíam o nó, o rei Salomão e a Infinita Corda da Eternidade entrelaçada.

Em um primeiro momento, a maçonaria operativa congregava guildas de todas as profissões, em especial a dos pedreiros. A maçonaria buscou conservar a antiga tradição dos tempos bíblicos e procurou aperfeiçoar, através de ritos de iniciação, o desenvolvimento do ofício de cada profissional. A passagem dos três graus – Aprendiz, Companheiro e Mestre – exigia o conhecimento de palavras secretas, toques e sinais. Os símbolos eram cultivados com profunda reverência.

As guildas de trabalhadores existem desde a Antiguidade, mas atingiram sua forma mais complexa durante a Baixa Idade Média

H

HERMES

Nome grego de Mercúrio, correspondente ao Toth egípcio, também chamado de Trimegisto, ou "Três Vezes Grande". Alude à fonte de toda a ciência e toda a iniciação, da qual provém a doutrina esotérica chamada de Hermetismo.

HEXÁGONO

Polígono de seis lados e seis ângulos. É um símbolo da criação universal.

HIERARQUIA DA LOJA

Ordem e subordinação dos dignitários e oficiais das Lojas, que são assim classificadas:

DIGNITÁRIOS E LUZES SUPERIORES: Venerável, Primeiro Vigilante e Segundo Vigilante.

DIGNITÁRIOS E OFICIAIS DE PRIMEIRA CLASSE: Orador, Secretário e Tesoureiro.

OFICIAIS DE SEGUNDA CLASSE: Peritos (por sua ordem se houver mais de um), Arquivista, Guarda Selos, Mestre de Cerimônias.

OFICIAIS DE TERCEIRA CLASSE: Diáconos (por sua ordem), Esmoler Hospitalar (Hospitaleiro), Guarda Externo do Templo (Cobridor), Guarda Interno do Templo, Mestre Arquiteto, Mestre de Banquetes, Mestre Decorador, Porta Bandeira, Porta Espada, Porta Estandarte, outros cargos.

HIRAM, OU HIRÃO, ABIFF

Dos três personagens com este nome que são invocados pela Bíblia, o que os maçons de todas as épocas e de todos os ritos consideram como o Mestre dos mestres, é Hirão Abif (ou Abiff).

Wikicommons

Hermes Trismegisto, de Stefano di Giovanni (c. 1488)

Hiram Abiff em vitral da igreja de São João, em Chester, Inglaterra (1900)

A Lenda de Hiram

Três companheiros, para tentar obter de Hiram Abiff, o arquiteto a quem Salomão havia entregue a intendência dos trabalhos do seu templo, o segredo da Palavra do Mestre, a qual lhes conferiria poderes inimagináveis, decidiram encontrá-lo a sós. Assim, eles se esconderam no templo, um no Sul, outro no Norte e outro no Leste. Hiram havia entrado, como de costume, pela porta do Oeste e, como quisesse sair pelo sul, um dos três companheiros lhe pediu a Palavra do Mestre, ameaçando Hiram com o martelo que trazia consigo. Hiram respondeu que ele não receberia a Palavra do Mestre daquela maneira.

O companheiro golpeou, então, Hiram com o martelo. Como o golpe não foi forte o bastante, Hiram conseguiu fugir até a porta do Norte, onde encontrou o segundo companheiro. A mesma coisa aconteceu, e Hiram tentou escapar pela porta do Leste, onde acabou sendo morto pelo último companheiro.

À noite, os três companheiros enterraram o corpo de Hiram, plantando um ramo de acácia sobre a sepultura para poder reconhecer o lugar.

Depois de sete dias sem ver Hiram, o rei Salomão ordenou a nove mestres que o procurassem. Três desses mestres encontraram casualmente o túmulo de Hiram. Desenterraram-no e, para remover o corpo, um deles pegou o cadáver por um dedo, mas a pele se destacou e ficou na sua mão. A mesma coisa aconteceu com o segundo mestre e com o terceiro: a pele se destacou do corpo e ficou na sua mão. Quando isso aconteceu, o terceiro mestre exclamou "Macbenac", que significa, "a carne deixa os ossos, o corpo está corrompido". A partir de então, "Macbenac" se tornou a Palavra do Mestre.

Salomão mandou exumar o corpo de Hiram e o sepultou com grande pompa no seu Templo. Durante a cerimônia, todos os mestres maçons traziam aventais e luvas de couro branco para mostrar que nenhum deles sujara as mãos com o sangue do mestre.

Arquiteto responsável pela construção do Templo de Salomão. A decoração do templo de Salomão, com seus inúmeros relevos, colunatas elaboradas e inovações arquitetônicas é atribuída ao artista e arquiteto Abif Hiram. Filho de mãe judia e pai fenício, Hiram era, de acordo com o Livro de Crônicas, "habilidoso no trabalho com ouro, prata, bronze, ferro, pedra, madeira, no fino linho e em púrpura; também para realizar qualquer tipo de gravação, e para criar toda ferramenta que precisar". Dizem que as lendárias ferramentas de Hiram podiam furar a pedra. Conforme afirma o Livro de Reis, "nem martelo, nem machado, nem qualquer outra ferramenta de ferro foi ouvida na casa enquanto estava sendo construída". A proibição do uso de ferramentas dentro do templo vinha de uma orientação que Moisés recebera de Deus para fazer um altar de pedra sem meios mecânicos, "pois se vós ergueres vossa ferramenta sobre ele, vós o tereis poluído". Hiram teria cortado as pedras do templo e feito seus relevos e estatuas através do domínio que exercia sobre *Shamir*, um verme gigante que podia cortar pedras.

HOMEM LIVRE

Aquele que não é escravo, nem servo e não vive à mercê de preconceitos. Honorário Membro de uma Loja, isento de todas as contribuições.

HORA

Tempo indicado para o início e o término dos trabalhos maçônicos (cada grau utiliza de uma terminologia e horário para tal fim).

HORROR

Um dos sinais no Grau de Mestre Maçom.

HOSPITALEIRO

Oficial de uma Loja, responsável por recolher os donativos e visitar, cuidar e socorrer os enfermos, membros da Loja, ou mesmo profanos aos cuidados do mesmo.

HUR

Interjeição maçônica significando "Viva!" ou "Liberdade!"

HUZÉ

Grito de aclamação do maçom no Rito Escocês Antigo e Aceito. Uma velha aclamação escocesa que significava "Viva o Rei".

I

Shutterstock.com/ F. Jimenez Meca

Joia do oficial da Loja Azul

I.'.N.'.R.'.I.'.

Tetragrama que encerra o significado secreto da palavra sagrada do Cavaleiro Rosa-Cruz. Esta palavra sagrada não é pronunciada. É solicitada por meio de interrogatório especial, que só um R.'. C'.'. sabe encontrar.

IDADE MAÇÔNICA

Senha de reconhecimento de maçom em cada grau. Perguntar a idade a um maçom equivale perguntar o seu grau, pois no Rito Escocês Antigo e Aceito, cada grau corresponde a um número simbólico.

IGNORÂNCIA

Palavra que significa a total ou parcial ausência de conhecimento e falta de saber.

ILUSTRE

Tratamento dado aos maçons revestidos de grau e dignidades elevadas e título de alguns Oficiais de certas Oficinas superiores às simbólicas.

ILUSTRE CAPITÃO DA GUARDA

Título de um Grande Oficial do grau 33º do Supremo Conselho do Rito Escocês Antigo e Aceito.

ILUSTRE ELEITO DOS QUINZE

Título dado ao maçom no grau 10º do Rito Escocês Antigo e Aceito.

ILUSTRE GRANDE SECRETÁRIO DO SANTO IMPÉRIO

Título de um Grande Oficial do grau 33º do Supremo Conselho do Rito Escocês Antigo e Aceito.

IMPOSTOR

Profano que tenta se passar por maçom, ou ex-maçom que, sendo expulso da Ordem, continua a se apresentar como maçom.

IMPURO

Profano rejeitado pelas sindicâncias, quando proposto para ingressar nos mistérios da maçonaria.

INAUGURAÇÃO

Cerimônia que consagra os Templos maçônicos.

INCIAÇÃO

Cerimônia ritual, por meio da qual o profano é admitido na maçonaria.

INEFÁVEL

Segundo a tradição judaica, é proibido pronunciar o Tetragrammaton, ou sagrado nome de Deus. Costume reverencial também observado na maçonaria. Assim o Tetragrammaton é chamado de Nome Inefável. Os graus 4º ao 14º do Ritos Escocês Antigo e Aceito são chamados de Inefáveis por estarem empenhados na investigação e na contemplação do nome Inefável.

INQUISIÇÃO

No contexto da Contrarreforma, a inquisição, uma nova ordem clerical a serviço do papado, fazia parte de um novo conjunto de recursos da Igreja de Roma

Wikicommons

Emblema da Inquisição Espanhola (1571)

Esfinge e símbolos maçônicos em templo norte-americano

para garantir seu poder. Na maçonaria, a inquisição é o símbolo do obscurantismo e do fanatismo prepotente.

INSPETOR
Título de alguns oficiais das Lojas nos graus: 4º, 9º e 10º.

INSPETOR LITÚRGICO
Denominação do maçom do grau 33º.

INSTALAÇÃO
Cerimônia ritual com que fica regularizada uma Loja. Também se diz na tomada de posse do Venerável Mestre e dos Oficiais de uma Loja.

INSTÂNCIA
Funcionamento de uma Loja, desde a sua instalação até o recebimento de sua Carta Constitutiva.

INSTRUÇÃO
Nome dado às reuniões que têm como finalidade instruir os maçons na doutrina e nas liturgias da fraternidade.

INSTRUÇÕES DO GRAU DE MESTRE
A instrução do Mestre é complemento das instruções dos Graus precedentes. A Primeira Instrução é a explicação do Painel da Loja de Mestre e seus elementos: a Lâmpada Mística, o Pavimento Mosaico, o Crânio e as Tíbias. A Segunda Instrução do Grau de Mestre é uma recapitulação. A Terceira Instrução aborda diversos conhecimentos simbólicos, inclusive um aprofundamento no simbolismo dos números.

INSTRUMENTOS DE TRABALHO
São determinados instrumentos profissionais, a maioria tirada da antiga arte arquitetônica, que a maçonaria simbólica usa como emblema de virtudes e ensinamentos. A tradição maçônica comum remonta sua origem à construção do Templo de Salomão.

INSTRUTOR
Membro da fraternidade encarregado de ministrar ensinamentos maçônicos.

INTENDENTE DOS EDIFÍCIOS
Título dado ao maçom no grau 08 do Rito Escocês Antigo e Aceito.

INVENI VERBUM IN ORE LEONIS
Frase correspondente a I.'. V.'. I.'. O.'. L.'., letras bordadas no colar do Grande Tesoureiro do 13º grau do Rito Escocês Antigo e Aceito.

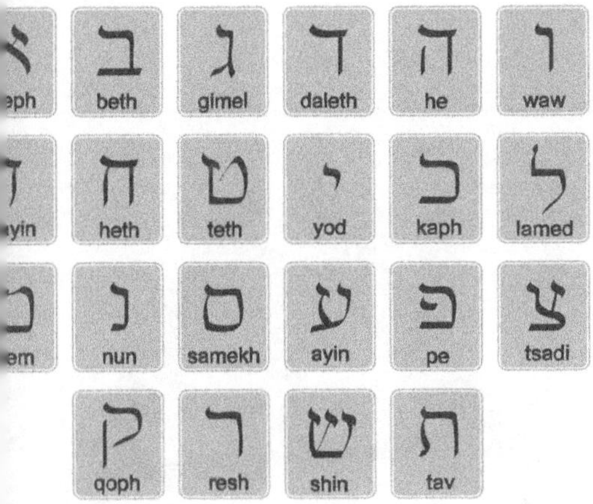

Shutterstock.com/ Sidhe

O alfabeto hebraico

INVESTIDURA

Ato de dar posse a um cargo.

INVESTIDURA (RITO)

O rito da investidura, também conhecido como cerimônia de vestir, incorpora um dos símbolos maçônicos mais conhecidos, o avental de pele de carneiro. O avental foi adotado na maçonaria por fazer parte do vestuário dos pedreiros medievais, os chamados maçons operativos. Esse rito constitui-se na colocação de algum traje no aspirante como indicação de que está adequadamente preparado para as cerimônias das quais virá a participar. É um rito tradicional, presente em todas as antigas iniciações.

Entre os levitas do antigo Israel, os sacerdotes usavam um avental de linho, o abanete, como parte da investidura da fraternidade. Era, segundo o livro de regra dos levíticos, usado para "a glória e a beleza", símbolo da santidade e pureza que caracterizam a natureza divina. Entre os essênios, a seita judaica da qual Jesus teria pertencido e que assemelha-se à maçonaria em sua organização, dava-se aos noviços da ordem uma túnica branca.

Na maçonaria, o significado simbólico transmitido pelo avental é o da pureza. É um símbolo tão importante que é chamado de "distintivo do maçom", pois é o primeiro presente que o aspirante recebe e o primeiro símbolo sobre o qual é instruído. A pureza expressa por este símbolo é evocada por dois elementos do avental: a cor e o material. O avental deve ser de uma brancura imaculada. O branco é tradicionalmente a cor da inocência, da pureza. Tanto o simbolismo judaico como o cristão, dos quais a maçonaria incorpora múltiplos elementos, aludem ao branco para evocar pureza. Contudo, na maçonaria, além de símbolo de pureza, o branco evoca também esperança depois da morte.

Além de ser branco, o avental maçônico deve impreterivelmente ser feito de pele de carneiro. Não pode em hipótese nenhuma ser substituído por qualquer tecido, pois isso destruiria o simbolismo dessa vestimenta. O carneiro é símbolo tradicional da inocência, especialmente nas culturas judaico-cristãs. De fato, em toda Bíblia, tanto no Velho como no Novo Testamento, há referências sobre o carneiro: do cordeiro pascal que os israelitas comeram na noite anterior à sua partida do cativeiro no Egito ao Cordeiro de Deus – Jesus – que tira os pecados do mundo.

Nos ritos maçônicos da Europa continental, como os praticados na França e na Alemanha, o candidato iniciado recebe, além do avental branco de carneiro, dois pares de luvas brancas, também de pele de carneiro, um par masculino, para o próprio candidato, e outro feminino, para a esposa, noiva ou mulher que aquele maçom mais estima. Como o avental, as luvas evocam pureza e indicam que os atos de um maçom devem ser tão puros e imaculados como as luvas que ele está recebendo.

INVOCAÇÃO

Oração que os Veneráveis e demais Luzes de uma Loja dirigem ao Grande Arquiteto do Universo, durante os trabalhos.

IOD

Letra cabalística que significa Deus ou Princípio.

IRMÃO DA ORDEM

Tratamento usado entre os maçons.

IRMÃO DO QUADRO

Nome dado aos maçons de uma mesma Loja.

IRMÃO EM TRÂNSITO

Maçom que não reside em determinada localidade, mas que a visita temporariamente.

IRMÃO EXPERTO

Oficial de uma Loja simbólica, encarregado de reconhecer os visitantes, executar as votações e substituir os oficiais ausentes.

IRMÃO TERRÍVEL

Oficial designado na iniciação, é o responsável pela coordenação, preparação e condução dos iniciandos.

J-K

JABULON

A palavra Jahbulon ou Jabulon foi empregada para representar o Nome Inefável de Deus em algumas sociedades como a maçonaria e a Ordo Templi Orientis. Foi usada em alguns rituais do grau de Arco Real, no Rito de York. O mago inglês Aleister Crowley, que teve contato com a maçonaria, também a utilizava nos rituais do Ordo Templi Orientis. Como com a maioria dos símbolos, há muita discussão sobre a origem e o significado da palavra. Alguns autores afirmam que a estrutura trissílaba da palavra é apenas para expor e esclarecer sobre o tetragrama, e defende que Bel seria um nome descritivo para Deus em hebraico. Outros pesquisadores alegam que seria um maçônico nome de Deus. Certos escritores que não pertencem à Ordem defendem que seria o secreto e não revelado nome de quem seria um único "Deus maçônico".

JAFET

Nome de um dos filhos de Noé (Gên. 9:18) incorporado às tradições e rituais maçônicos.

JAKIM

Nome hebraico derivado de Jah, abreviatura de Jeová (Sl. 68:4) e achim, "estabelecer". Era a segunda coluna do templo de Salomão. (Ver Colunas Jaquim e Boaz).

Shutterstock.com/ F. JIMENEZ MECA

Joia de oficial maçom: Secretário

Shutterstock.com/ F. JIMENEZ MECA

Joia do Oficial Guardião

JEOVAH OU JEOVÁ

Nome judeu da Divindade criadora. No Rito Escocês Antigo e Aceito se encontra nos graus 5º, 13º, 14º, 20º, 23º, 24º, 25º, 26º e 27º.

JERUSALÉM CELESTE

Cidade Simbólica, mencionada no grau 19º do Rito Escocês Antigo e Aceito também denominada Grande Pontífice ou Sublime Escocês de Jerusalém Celeste.

JOIA DO ARQUITETO DECORADOR

Um maço e um cinzel ou duas réguas cruzadas.

JOIA DO CHANCELER

Um sinete (carimbo) da Loja.

JOIA DO COBRIDOR EXTERNO

Uma espada ou alfanje.

JOIA DO COBRIDOR INTERNO (GUARDA DO TEMPLO)

Duas espadas cruzadas.

JOIA DO DECORADOR

Um maço e um cinzel.

JOIA DO EXPERTO

Uma espada, ou um punhal, ou uma régua, ou duas espadas cruzadas, ou, ainda, um olho.

JOIA DO HOSPITALEIRO

Uma bolsa.

Shutterstock.com/ F. JIMENEZ MECA

Joia do oficial Tesoureiro

JOIA DO MESTRE DE BANQUETES
Uma cornucópia.

JOIA DO MESTRE DE CERIMÔNIAS
Uma régua ou dois bastões cruzados.

JOIA DO MESTRE DE HARMONIA
Uma lira.

JOIA DO OFICIAL ORGANISTA
Um órgão.

JOIA DO ORADOR
Um livro aberto.

JOIA DO PAST-MASTER
O postulado 47 de Euclides, gravada em uma lâmina de prata, dentro de um esquadro.

JOIA DO PORTA BANDEIRA
Uma bandeira.

JOIA DO PORTA ESPADAS
Uma espada.

JOIA DO PORTA ESTANDARTE
Um estandarte.

JOIA DO PRIMEIRO DIÁCONO
Uma pomba dentro de um triângulo, uma pomba ou um Sol dentro do Compasso.

JOIA DO PRIMEIRO VIGILANTE
O Nível.

JOIA DO SECRETÁRIO
Duas penas cruzadas.

JOIA DO SEGUNDO DIÁCONO
Uma pomba ou uma lua dentro do compasso.

JOIA DO SEGUNDO VIGILANTE
O Prumo.

JOIA DO TESOUREIRO
Uma ou duas chaves cruzadas.

JOIAS DO VENERÁVEL MESTRE
A Esquadria. (O esquadro, o compasso, o segmento do círculo e o Sol com "o olho que tudo vê").

JOIAS IMÓVEIS
O Quadro de Traçar (prancha ou lousa), a Pedra Bruta e a Pedra Cúbica.

JOIAS MÓVEIS
O Esquadro, o Nível e o Prumo (distintivos dos cargos do Venerável Mestre, do Primeiro Vigilante e do Segundo vigilante, respectivamente).

JUBELAS, JUBELOS E JUBELUM
Nomes dos três maus companheiros que assassinaram Hiram Abiff.

JURAMENTO
Solene compromisso que presta um candidato ou maçom (obrigação com que um maçom impõe perante a Ordem).

JUSTA, PERFEITA E REGULAR
Diz-se de uma Loja legalmente constituída e instalada. A maçonaria incute, através de seus ensinamentos, que a Justiça reja a vida de todas as coisas e seres dentro da harmonia na vida do homem.

KADOSH
Do hebraico, "consagrado ou santo". Na maçonaria, serve para designar um grau e um sistema.

Shutterstock.com/ F. JIMENEZ MECA

Joia do Oficial Organista

L

L.'. E.'. T.'.
Triagrama correspondente a *Lux et tenebris*, lema dos Cavaleiros Rosa-Cruz.

L.'. S.'.
Insígnia do grau 22º do Rito Escocês Antigo e Aceito (iniciais de Líbano e Salomão).

LANDMARK
Os maçons afirmam que a moderna maçonaria surgiu a partir dos fragmentos de antigos ritos praticados durante a Antiguidade no Egito, Israel, Índia, Roma e Grécia. Esses fragmentos seriam os *landmarks* maçônicos, os "pontos de partida" que chegaram até os dias de hoje, isto é, os princípios que servem de base ao princípio filosófico da maçonaria. Um Landmark é, de fato, uma regra, especialmente as regras de conduta, que devem ser mantidas imutáveis desde os primórdios tempos até o futuro. Essa forma de Lei pode ser de tradição escrita ou oral.

LENDAS
Relatos simbólicos ou alegóricos de certas verdades, leis ou fatos da natureza, porém, no geral, requerem uma chave para a sua exata interpretação. Podem ter sentido cósmico, individual ou místico filosófico. Na maçonaria, várias são as lendas, entre elas, a construção do Templo.

LEVANTAR COLUNAS
Diz-se de uma Loja que voltou a funcionar regularmente depois de haver permanecido inativa por um determinado período.

LICENÇA
Permissão para ausentar-se de sua Loja por motivos e deveres superiores ou moléstias graves. Pode ser limitada ou ilimitada. É isenta de contribuições durante a sua vigência.

LIMPO E PURO
Profano ou maçom, quando julgado e aprovado em sindicância.

LINGUAGEM MAÇÔNICA
Linguagem especial compreendida apenas pelos iniciados nos mistérios da maçonaria.

LIVRE
Diz-se de um cidadão em pleno gozo de seus direitos civis. Condição para um homem ser maçom.

LIVRO DA LEI
A Bíblia. Simboliza a Lei Divina. A Cerimônia da Abertura do Livro e leitura de um trecho, no início de uma assembleia, serve para espiritualizar a Loja e seus presentes.

LIVRO DE ARQUITETURA
O livro de atas

LIVRO DE DISCIPLINA
Livro que contém as acusações, faltas e penalidades contra os maçons. Também chamado de Livro Vermelho.

LIVRO DE PRESENÇA
Registro no qual os maçons de uma Loja e seus visitantes acrescentam sua assinatura em cada reunião.

LIVRO NEGRO
Livro que registra os nomes e as sentenças dos antigos membros expulsos da Ordem e dos pretendentes recusados à admissão da mesma.

LIVRO TOMBO
O livro onde são anotados os bens móveis da Loja ou Potência.

LIVRO SAGRADO
A Bíblia (o mesmo que Livro da Lei).

LIVRO VERMELHO
Veja Livro de Disciplina.

LOJA
Local onde os maçons se reúnem (o mesmo que Templo). Sua entrada principal se localiza no ocidente, o Venerável Mestre no oriente. Uma Loja, para estar devidamente regular, deve contar com pelo menos sete mestres. A reunião deve ser sempre em um local coberto e devidamente fechado.

LOJA AZUL
As lojas simbólicas, na maçonaria, também chamadas de lojas azuis ou lojas de São João, são as

Selo da Grande Loja da Pennsylvania, EUA

que atribuem os três primeiros Graus da maçonaria, os graus simbólicos (Aprendiz, Companheiro e Mestre).

Nos primeiros tempos da franco maçonaria, os maçons adotaram a cor azul para identificá-los e para ser aplicada aos seus artefatos e objetos rituais. Dessa forma, os Graus Simbólicos a mantiveram como sua cor emblemática, sendo que outras cores foram adotadas para as demais lojas do Rito Escocês Antigo e Aceito (R.E.A.A.). Vale notar que, como as lojas, também os ritos têm suas cores. A do R.E.A.A. é o vermelho (embora as Lojas dos três primeiros graus deste Rito sejam chamadas de Lojas Azuis e também possua Lojas Vermelhas, Brancas e Pretas). As Lojas Azuis têm o tratamento de Augusta, sendo normalmente chamadas de Augusta e Respeitável Loja Simbólica (A.R.L.S.).

LOJA BRANCA

Os três Graus Filosóficos do Rito Escocês Antigo e Aceito são chamados de maçonaria branca. Suas Lojas são os Consistórios. O termo "consistório" também é utilizado no catolicismo. Trata-se do conselho de cardeais que se reúnem para dar assistência ao papa nas decisões do pontífice. Em arquitetura, o consistório é um espaço destinado a reuniões e assembleias. Mas de forma geral, um consistório é uma reunião ou conselho para tratar de assuntos graves ou importantes.

No Rito Escocês Antigo e Aceito, os consistórios conferem os Graus administrativos, os quais, no 33° Grau, torna o maçom guardião, mestre e condutor da maçonaria.

LOJA CAPITULAR

Em 1820, o Grande Oriente organizou um ritual do Rito Escocês Antigo e Aceito (R.E.A.A.), buscando desenvolver sequencialmente do grau de Aprendiz ao grau Rosa-Cruz – o 18° Grau do R.E.A.A. Este conjunto de graus sob a mesma direção foi chamado de Loja Capitular, presidida preferencialmente por um Cavaleiro Rosa-Cruz.

Os Capítulos, como também são chamadas estas lojas, são obedientes ao Supremo Conselho. Ainda no século XIX, o Grande Oriente do Brasil (GOB) assumiu os graus 1 ao 18, constituindo as Lojas Capitulares e o Supremo Conselho do R.E.A.A., os graus 19 ao 33. Em 1927, porém, o Supremo Conselho recuperou seu poder sobre o Rito, do grau 4° ao 33°. Dessa forma, os graus de Aprendiz, Companheiro e Mestre têm jurisdição de Grandes Lojas ou Grandes Orientes e os trinta graus superiores, jurisdição dos Supremos Conselhos.

Os Graus concedidos pelas lojas capitulares iniciam o maçom na luta, por meio da razão, para o progresso, ensinam a vitória da liberdade como consequência da coragem e perseverança e buscam realizar a libertação pelo amor.

Emblema da Grande Loja de Boston, EUA

LOJA DE PERFEIÇÃO OU VERMELHA

As Lojas de Perfeição, ou Vermelhas, celebram os ritos e ensinamentos do 15° ao 18° Graus. Essas Lojas representam, no 4° Grau, o Templo do Rei Salomão.

São João de Escócia

As Lojas Azuis também são chamadas de Lojas de São João. A maçonaria cultua três santos com esse nome, São João Evangelista, São João Batista e São João da Escócia, sendo este último o padroeiro da maçonaria brasileira. Muitos tratados maçônicos afirmam que as Lojas não são, de fato, dedicadas a São João Batista ou a São João Evangelista, mas sim a São João Esmoleiro, que havia sido Grão-Mestre dos Cavaleiros de São João de Jerusalém, durante as Cruzadas.

João teria sido filho do rei de Chipre e abandonou tudo para ir a Jerusalém proteger os peregrinos cristãos e socorrer os feridos que lutavam pelo cristianismo. Ferido em combate diversas vezes, João acabou morrendo na Terra Santa. Por ter se dedicado com tanto afinco à causa da Igreja, ele foi canonizado com o nome de São João, o Esmoleiro, ou São João de Jerusalém. Os maçons que lutavam nas Cruzadas, tocados pelo exemplo de João Esmoleiro, acabaram por escolhê-lo como seu patrono.

Uma Loja de Perfeição tem o tratamento de Excelente ou Excelsa. Seu presidente representa o Rei Salomão. No Brasil, ele é tratado pelo título de Três Vezes Poderoso Mestre; na maioria dos outros países o presidente é chamado de Poderoso ou Poderosíssimo. Ele é identificado por um Colar azul de seda, de onde pende a Joia: um Triângulo em ouro com a letra Iod (Deus) de um lado e, do outro, a palavra Ivah.

Os Vigilantes têm o título de Inspetores. Originariamente, havia um só Vigilante que representava a Adoniram, inspetor dos trabalhos do Templo de Salomão, personalidade misteriosa que se confunde com o próprio Hiram Abiff, o arquiteto do Templo. Os Vigilantes têm o tratamento de Veneráveis Irmãos e os Obreiros, o de Mestres Secretos.

Ao longo de seus Graus, as Lojas de Perfeição estudam as virtudes do Silêncio, a meditação, a necessidade de se buscar o conhecimento, os princípios da Justiça, a fraternidade humana, os ciclos de construção e de destruição, a extinção das paixões, a regeneração, os magos pontífices do Egito e de Jerusalém. Em seu Grau mais elevado – o 14º – o estudante torna-se Grande Eleito ou Perfeito e Sublime Maçom, conquistando a liberdade da consciência.

LOJA DE SÃO JOÃO
Nome dado antigamente a todas as Lojas Simbólicas, em geral precedendo a sua denominação. Ainda hoje usado para denominar Loja Maçônica (veja Lojas Azuis).

LOJA IRREGULAR
Reunião não autorizada de maçons regulares ou declarados irregulares.

LOJA JUSTA
Loja com cinco membros, a qual não tem o direito de iniciar ou conceder aumento de salários.

LOJA JUSTA E PERFEITA
É uma Loja constituída por pelo menos sete mestres, reunidos nos trabalhos o mínimo de sete maçons.

LOJA MÃE
Loja onde o maçom foi iniciado.

LOJA PERFEITA
Veja loja Justa e Perfeita.

LOJA SIMBÓLICA
Oficina dos três graus iniciais (Loja Azul).

LOJA SIMPLES
Loja de estudos formada pela reunião de três maçons.

Loja maçônica em Montana, EUA

III - Das Lojas

A Loja é o lugar onde os maçons se reúnem para trabalhar, e por extensão, se dá esse nome a toda assembleia de maçons regularmente constituída; todos os Ilr. devem fazer parte de uma Loja e submeter-se aos seus regulamentos particulares e às leis gerais. As lojas são individuais ou gerais. A melhor maneira de distingui-las é através do estudos dos atuais regulamentos da Loja Geral ou Grande Loja a esse anexos.

Antigamente os Mestres e os membros dessas Lojas não podiam se ausentar nem deixar de assistir aos seus trabalhos quando convocados, sem incorrer em um severo castigo, a menos que dessem ciência aos Veneráveis e Vigilantes das causas que os haviam impedido de cumprir com este dever.

As pessoas admitidas na qualidade de membros das Lojas devem ser homens bons e leais, de nascimento livre, de idade madura e razoável, de boa reputação; é proibido admitir na maçonaria escravos, mulheres e homens imorais, cuja conduta seja motivo de escândalo.

James Anderson - Constituição

LOJAS DE ADOÇÃO

Muito pouco se sabe sobre as Lojas de Adoção. Jean Palou informa que os rituais dessa Lojas eram "diferentes dos rituais masculinos, mas visivelmente criados para lembrar o caráter simbólico, misterioso e educador". Sabe-se, também, que as maiores damas da corte, como a própria duqueza de Chartres, fizeram parte destas Lojas. Mas as Lojas de Adoção desapareceram durante a Revolução Francesa (assim como as masculinas), para ressurgir com outro nome, quase cem anos depois (veja Comaçonaria).

LOJAS DE PERFEIÇÃO

Grupo de Lojas subordinadas ao Supremo Conselho do Rito Escocês Antigo e Aceito, especificamente as do grau 4º ao 9º.

LOJAS IRMÃS

Lojas de uma mesma Obediência ou que fazem tratados de amizade.

LOWTON

Filho ou neto de maçom (de 7 a 12 anos), que é apresentado e adotado por uma Loja de acordo com um ritual próprio. O Lowton pode ser iniciado aos 18 anos de idade, mediante o prévio consentimento do seu pai ou tutor.

LUMINARES - O SOL E A LUA

SOL - é certamente um dos mais antigos objetos de culto. Personificação da Luz, venerada na maçonaria como o conhecimento maior que se almeja. De fato, o Sol era considerado personificação da inteligência cósmica suprema – e também do calor, do fogo e do princípio vital. Por nascer e se pôr todos os dias, também se tornou a imagem simbólica da ressurreição e, de modo geral, de cada novo começo. E como o Sol ilumina todas as coisas com a mesma intensidade, acabou simbolizando, igualmente, a justiça. Na alquimia, corresponde ao ouro – o "sol da terra".

Alguma culturas conceberam a ideia do Sol Negro, o qual, durante a noite, deixa este mundo para iluminar o Além. Seu aspecto negativo é mais desenvolvido nos países quentes, onde aparece como princípio da aridez e da seca, tornando-se, dessa forma, adversário da chuva fertilizante.

O Sol sempre está representado no teto do Templo, simbolizando a Luz que vem do Oriente. Também está presente no retábulo do Oriente, ladeando o Deita, junto com a Lua. Sua disposição na Loja é no lado em que fica o Orador, pois, na correspondência cósmica dos cargos em Loja, o Orador simboliza o Sol, aquele que, enquanto Guardião da Lei, emana a Luz.

Shutterstock.com/ Massimiliano Pieraccini

Memorial maçônico em Montreal, Canadá

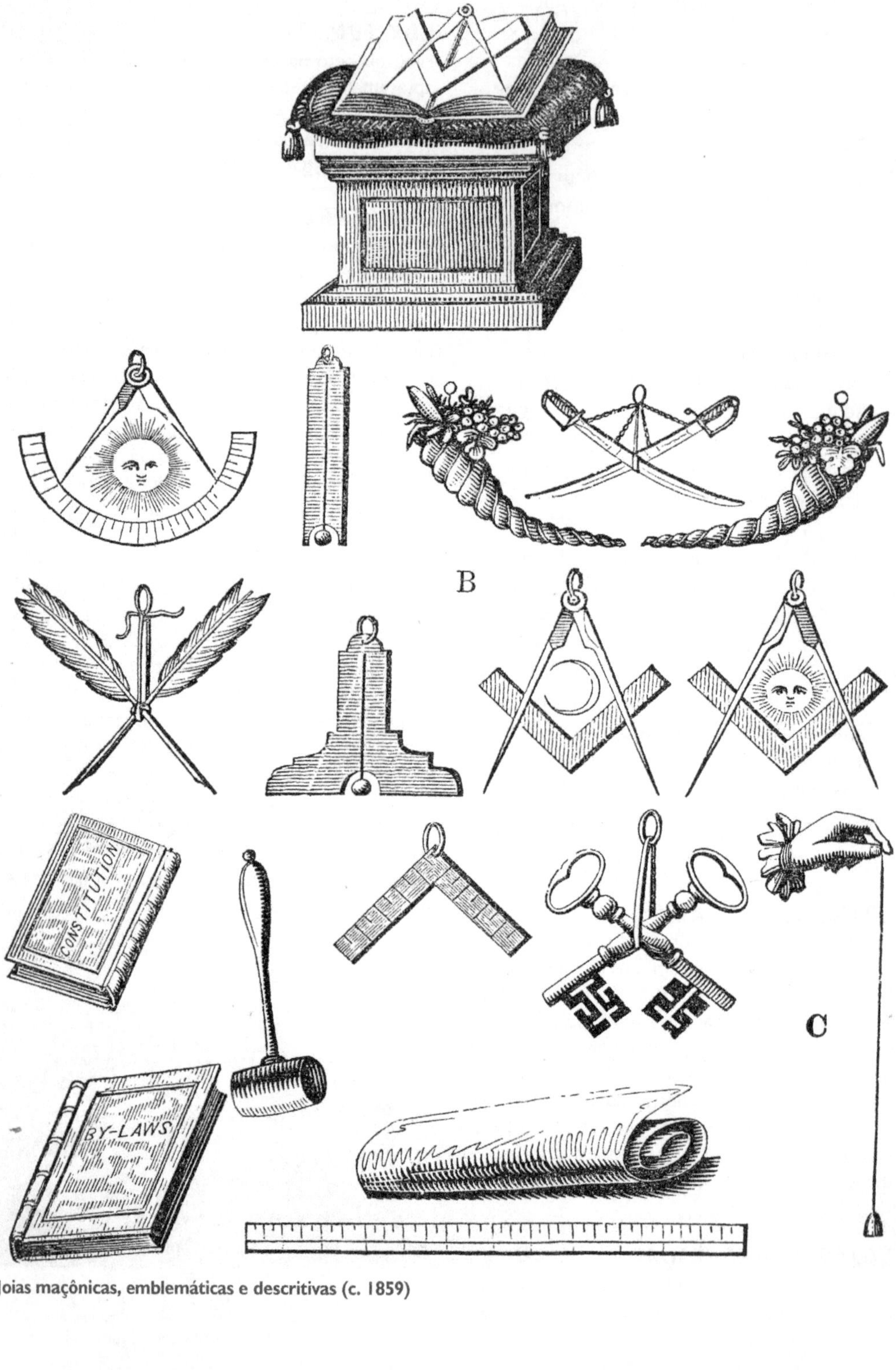

Joias maçônicas, emblemáticas e descritivas (c. 1859)

Shutterstock.com/ printalot

Luvas maçônicas

LUA - como o sol, a lua tem sido cultuada desde tempos imemoriais. É a mãe universal, o princípio feminino que fertiliza todas as coisas, a ânima. Por minguar e crescer e por suas influências sobre a Terra, principalmente sobre o corpo da mulher, a Lua é associada à fertilidade feminina, à chuva, à umidade e, também, a tudo o que é transitório e perecível.

Força oposta à do Sol, a Lua é representada na parte Ocidental do teto dos templos maçônicos. Aqui, ela remete à escalada iniciática do Obreiro, das trevas em direção à Luz. Também pode estar presente no retábulo do Oriente, junto com o Sol, ladeando o Delta do lado em que ficar o Secretário, cuja correspondência cósmica dos cargos em Loja é a Lua, uma vez que ele reflete, nas atas, a luz que vem do Orador, a personificação do Sol.

LUVAS BRANCAS

Emblema da pureza, quer no sentido lendário, de não participação no assassínio de Hiram, quer no sentido moral, de não participação nos vícios do mundo profano, as luvas brancas são um dos elementos principais do vestuário maçônico, usadas na maioria dos graus.

LUZ

Um dos símbolos mais importantes e essenciais da maçonaria é a luz. Em muitos momentos, a luz assume uma função de iniciação. Sobre a mesa do Venerável há três luzes representando ciência, virtude e verdade. As do Primeiro Vigilante, constância, estudo e progresso, e as do Segundo Vigilante, liberdade, igualdade e fraternidade.

Os juramentos são feitos diante de uma luz que simboliza a presença visível do Grande Arquiteto do Universo. Assim, o candidato está prestando juramento não perante os homens, mas perante Deus. Este simbolismo lembra também que cada maçom é uma luz isolada e que a soma das muitas luzes formam o Sol que ilumina e aquece toda a humanidade.

A Lâmpada Mística, representada no Painel da Loja de Mestre, é a fonte luminosa que simboliza a irradiação divina, sem a qual tudo voltaria às trevas. Simboliza a vida e corresponde à natureza da Divindade. O caráter espiritual da Luz está na superação das trevas que nos mostra o caminho do conhecimento eterno, pois o iniciado recebe a Luz Divina, a verdadeira Luz que ilumina seu interior.

LUZES

Nome dado aos cinco primeiros Oficiais dignitários de uma Loja (Venerável Mestre, Primeiro Vigilante, Segundo Vigilante, Orador e Secretário).

LUZES (AS TRÊS GRANDES)

São o Livro da Lei, o Esquadro e o Compasso sobre o altar (jamais são separados).

LUZES LITÚRGICAS

São as que iluminam o Altar e os pedestais, sendo que seu número varia de acordo com o Grau ou Rito. São utilizadas velas ou lâmpadas.

LUZES MÍSTICAS

São as três Luzes Menores: as velas (colocadas no Oriente, ao Sul e no Ocidente), representando o Pai, o Filho e o Espírito Santo da Divindade.

M

Shutterstock.com/ michelaubryphoto

MACHADO

Símbolo do poder. Dele derivou o malhete maçônico, tido como Símbolo do poder e da autoridade.

MAÇO

É a marreta usada para bater no cinzel e desbastar a pedra. Simboliza a Força de caráter a serviço da Razão e da Inteligência (o Cinzel). É o espírito atuando sobre a matéria.

MAÇOM

Palavra de origem latina, "machio" (cortador de pedras), que derivou o termo "masson", isto é, "pedreiro", em inglês e francês: maçom (pedreiro). Membro da maçonaria.

MAÇONARIA

Ordem fraternal mundial que inicia seus membros numa antiga filosofia através de rituais iniciatórios e que formam uma rede de negócios, de disseminação de ideias políticas e de caridade. Mas, na verdade, a maçonaria é algo muito mais profundo e complexo. A maçonaria é a busca pela valorização do homem. Seus ritos e cerimônias procuram despertar através de iniciações os potenciais de cada um, para que a pessoa possa se realizar e ser feliz. Seu objetivo é fazer da Terra um paraíso dos homens, sem distinção de classes nem privilégios, permitindo à humanidade viver honrada e feliz, sob uma só lei, idêntica para todos. Na maçonaria são admitidas pessoas de todos os credos e religiões, sendo, porém, primordial crer em Deus.

MAÇONARIA ANTIGA

As guildas de construtores romanos reuniam-se em suas *collegiae*, como se chamavam sua organização. Acredita-se que os símbolos e as regras do ofício eram detidos pela misteriosa *Magistri Comacini*, uma guilda de arquitetos sediada numa ilha fortificada no lago de Como, Itália, após a desintegração do Império Romano. Através deles, os segredos da geometria sagrada e métodos de construção para os construtores italianos de Ravena e Veneza e, por meio deles, às guildas das artes e comércio da Idade Média. Os lugares de encontro dos Comacini eram chamados *loggia*, de onde, supõe-se, a palavra "loja" deriva. Os símbolos dos comacini incluíam o nó, o rei Salomão e a Infinita Corda da Eternidade entrelaçada.

MAÇONARIA AZUL

Nome dado à maçonaria simbólica (do grau 1º ao 3º, veja Loja Azul)

MAÇONARIA BRANCA

Nome dado aos graus filosóficos do Rito Escocês Antigo e Aceito (do grau 31º ao 33º, veja Loja Branca).

MAÇONARIA ESPECULATIVA

No início do período Moderno, séculos XVII e XVIII, a maçonaria inclinou-se para o campo especulativo, abandonando o operativo – aquele praticado nas guildas de ofícios medievais. Isso equivale dizer que a filosofia maçônica, a essência do movimento, passou a ser mais importante do que o papel que ela exercia enquanto guilda de construtores detentores do conhecimento arquitetônico. Assim reformulada, a maçonaria acabou sendo um fator vital para a divulgação e o estabelecimento da nova ordem mundial política e cultural preconizada pelos cientistas e filósofos iluministas. Não é nenhum exagero dizer que a maçonaria foi uma das forças mais atuantes na configuração do mundo moderno.

O autor maçom Bernard Jones afirmou que "na altura do meio do século XVIII, começaram a dar ao maçom 'aceito' o nome de 'especulativo'". E explica o porquê: "'Especular' é observar alguma

O lago de Como, na Itália, onde a *Magistri Comacini* se estabeleceu

Trabalhadores medievais em museu escocês

coisa mentalmente. A palavra vem de *specio*, que significa 'eu vejo' ou 'eu olho'. É a raiz de várias palavras, tais como espetáculo, espectador, espéculo etc. No sentido usado no século XVIII, toda pessoa dada à contemplação, à meditação, entregava-se à especulação. O 'especulativo' era o idealista, e não o homem de feitos e de práticas".

MAÇONARIA FILOSÓFICA

É a que baseia seus ritos e a conduta em universais princípios filosóficos. Corresponde dos graus 4º ao 29º do Rito Escocês Antigo e Aceito.

MAÇONARIA NEGRA

Nome dado aos graus filosóficos do Rito Escocês Antigo e Aceito (do grau 19º ao 30º).

MAÇONARIA OPERATIVA

Os historiadores maçônicos concordam que houve uma transmissão direta dos ritos e práticas dos construtores do Templo do Senhor em Jerusalém até os dias de hoje. Com o tempo, as fraternidades de maçons judeus passaram seus conhecimentos para as corporações bizantinas. De lá, este conhecimento também se espalhou para as guildas, ou confrarias, de construtores romanos. Segundo Andrew Sinclair, "esses símbolos e as regras do ofício foram legadas à misteriosa *Magistri Comacini*, uma guilda de arquitetos que viviam numa ilha fortificada" (veja Maçonaria Antiga). Acredita-se que tenham sido eles que ensinaram os segredos da geometria sagrada e métodos de construção para os construtores italianos de Ravena e Veneza e, por meio deles, às guildas das artes e comércio da Idade Média. Os lugares de encontro dos Comacini eram chamados *loggia*, de onde, supõe-se, a palavra "loja" deriva.

A maçonaria da Idade Média, chamada de *operativa*, continuou após a queda de Roma. Novas guildas de construtores surgiram patrocinadas pelo clero cristão. Os maçons operativos se congregaram de forma organizada pela primeira vez no século XII, na construção da Catedral de Chartres. Mas eles já estavam ativos há bem mais tempo. As primeiras construções de abadias na Inglaterra sob Santo Albano e o rei Athelstan (século X d.C.) iniciaram a tradição de guildas maçônicas inglesas. Athelstan é tido como o mentor de uma assembleia de pedreiros em York, ocasião em que lhes outorgou uma Carta Régia regulamentando seu ofício.

MAÇONARIA VERMELHA

Nome dado aos graus filosóficos do Rito Escocês Antigo e Aceito (do grau 4º ao 18º).

MALHETE

Martelo (ou pequeno malho) com duas cabeças, de madeira ou de marfim, utilizado em Loja pelo Venerável Mestre e pelos Vigilantes. Também utilizado pelas autoridades maçônicas.

MANUSCRITO DE COOKE

O *Manuscrito de Cooke*, do século XV, é outro antigo documento que contém as bases da maçonaria especulativa. Ele traz um dos mitos centrais da maçonaria: a figura de Hiram Abiff, o construtor do Templo de Salomão. A *Lenda de Hiram* é uma das mais velhas referências maçônicas conhecidas. Reza a lenda que três companheiros, para tentar obter de Hiram Abiff, o arquiteto a quem Salomão havia entregue a intendência dos trabalhos do seu templo, o segredo da Palavra do Mestre, a qual lhes conferiria poderes inimagináveis, decidiram encontrá-lo a sós. Assim, eles se esconderam no templo, e, quando Hiram foi até lá, abordaram-no, exigindo que lhes ensinasse a Palavra do Mestre. Como Hiram se recussasse, foi morto a marteladas pelos três. À noite, os três companheiros enterraram o corpo de Hiram, plantando um ramo de acácia sobre a sepultura para poder reconhecer o lugar.

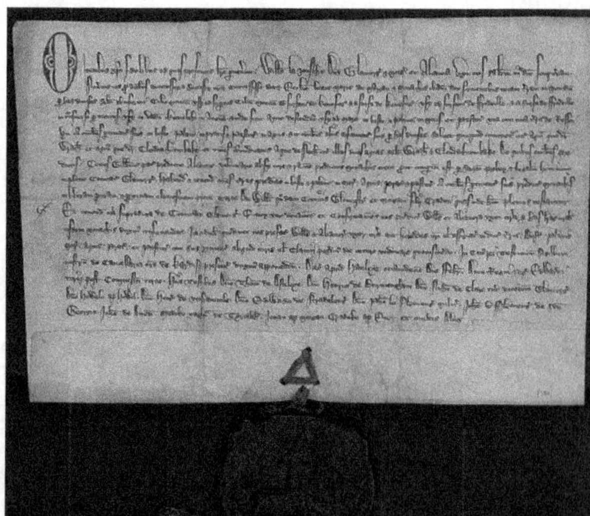

Wikicommons

Pergaminho do século XIV

Fachada de templo maçônico em Minnesota, EUA

Depois de sete dias sem ver Hiram, o rei Salomão ordenou a nove mestres que o procurassem. Três desses mestres encontraram casualmente o túmulo de Hiram. Salomão mandou exumar o corpo de Hiram e o sepultou com grande pompa no seu Templo. Durante a cerimônia, todos os Mestres Maçons traziam aventais e luvas de couro branco para mostrar que nenhum deles sujara as mãos com o sangue do mestre.

MANUSCRITO DE HALLIWELL

O manuscrito de Halliwell estabelece as origens da maçonaria. De acordo com o documento, hoje em posse da Biblioteca do Museu Britânico, sabe-se de modo claro e sucinto como começou essa importante arte. O Manuscrito de Halliwell registra que membros das associações de maçons viajavam para o estrangeiro para se instruir e ensinar e tornar-se "um excelente maçom". Desse modo, o conhecimento e costumes desses construtores hebraicos estabeleceram-se em Roma, nos *coleggia*, ou sociedade, de pedreiros-livres e foram assim passados para as associações de construtores que se formaram na Europa.

Na Inglaterra, no século X, o rei Edwin, filho do rei Athelstan, ele mesmo um maçom, deu cartas de franquia aos pedreiros-livres, bem como autorização para se reunirem em assembleia para que fossem comunicadas as faltas cometidas pelos membros da Ordem e determinadas suas punições. O Manuscrito de Halliwell afirma que, em 926, Edwin presidiu uma reunião de assembleias maçônicas, onde convidou todos os maçons a comunicarem aos seus companheiros tudo o que sabiam sobre os usos e obrigações impostos à classe, em todas as partes do reino e em outros países. As informações apresentadas a Edwin em diversas línguas "eram idênticas a respeito do que as inspirava". Edwin reuniu estes preceitos num livro, que ele recomendava que "fosse lido e comentado cada vez que se recebesse um novo maçom para lhe fazer conhecer as obrigações que lhe impunham. Desde então, até os nossos dias, os usos e práticas dos maçons se têm conservado sob a mesma forma, nos limites do poder humano".

MANUSCRITO REGIUS

Um dos textos maçônicos mais antigos é o *Manuscrito Regius*, escrito sob a forma de poema no início do século XIV. O texto conta a história dos "Quatro Mártires Coroados". Diz a lenda que, no tempo do imperador Diocleciano – notório por suas perseguições aos cristãos –, cinco pedreiros se recusaram a esculpir uma estátua pagã. Ao mesmo tempo, quatro soldados desobedeceram à ordem de incensar o altar de Esculápio, o deus da medicina. Os nove rebeldes foram executados. Condoído, o Papa Melquíades concedeu, em 310, o título de *Quatuor Coronati* (Quatro Coroados) aos soldados, que passaram a ser padroeiros do ofício da construção em alvenaria.

MANUSCRITO FRANCKEN

O homem que ajudou Morin a difundir o Rito

Escocês no Novo Mundo foi um holandês naturalizado francês, Henry Andrew Francken. Morin havia nomeado Francken Vice-Grande Inspetor Geral e ambos trabalharam numa parceria próxima até a morte de Morin. No início dos anos 1780, Francken produziu três manuscritos descrevendo os rituais para os graus 4º ao 25º.

Apesar de naquela época o Rito de 33 graus já ter diversas lojas, o Rito Escocês só veio a existir de fato com a criação do primeiro Grande Conselho, em 31 de maio de 1801, em Charleston, Carolina do Sul. O Supremo Conselho dos Grandes Inspetores Gerais, como foi chamado, adotou as Grandes Constituições de 1786. No ano seguinte à sua fundação, este conselho emitiu patente permitindo que o conde Grasse Tilly estabelecesse lojas, capítulos, conselhos e consistórios.

Em 1803, Tilly voltou à França, onde constituiu um Supremo Conselho Provincial e, em seguida, um Grande Consistório. Na esteira destes acontecimentos, em 1804, uma assembleia geral do Consistório fundou, em Paris, uma Grande Loja, a Grande Loja Escocesa da França do Rito Escocês Antigo e Aceito. Seu primeiro Grão-Mestre foi o príncipe Luiz Napoleão, o sobrinho do imperador Napoleão, que viria a ser presidente e depois imperador da França.

MARCHA

Técnica maçônica adotada nos três graus simbólicos para o candidato à perfeição caminhar do Ocidente para o Oriente, isto é, da escuridão para a Luz.

MEIA-NOITE

Momento em que o Sol passa por um meridiano diametralmente oposto ao meio-dia. Simbolicamente a hora que os Aprendizes, Companheiros e Mestres e em muitos outros graus maçônicos encerram seus trabalhos à meia-noite em ponto.

MEIO-DIA

Momento em que o Sol passa por um meridiano diametralmente oposto à meia-noite. Simbolicamente é a hora em que os Aprendizes, Companheiros e Mestres (muitos outros graus maçônicos) iniciam seus trabalhos ao meio-dia em ponto.

MESTRE

O grau de Mestre Maçom só surgiria em 1723 – depois da criação, em 1717, da Primeira Grande Loja, em Londres –, mas não seria implantado até 1738. O Mestre, juntando, por meio da síntese, tudo o que está disperso para a conclusão final da obra, representa o caminho derradeiro da mente na busca da perfeição. Albert Pike lembra que a Loja é suportada por três grandes colunas, Sabedoria, Força e Beleza, as quais são representadas pelo Mestre, Primeiro Vigilante e Segundo Vigilante, "porque Sabedoria, Força e Beleza são a perfeição de tudo, e nada pode perdurar sem elas". Assim, o Mestre encarna a Sabedoria.

Com sua Sabedoria, o Mestre deve responder: "Para onde iremos?", e esta resposta confere a ele a responsabilidade de ensinar Aprendizes e Companheiros, aprimorar os estudos, manter a Ordem e a tradição.

Os primeiros dois Graus Maçônicos representam o nascimento e a vida física e moral do homem. "O terceiro Grau representa a finalidade do homem, ou seja, o seu ideal voltado aos seus semelhantes para redimi-los e dar-lhes a liberdade que em

Shutterstock.com/ Lefteris Papaulakis

Ruínas de Elêusis, Grécia, onde se realizavam os Mistérios Eleusinos

Monumento maçônico na ilha de Malta

última análise significa a felicidade", escreveu Rizzardo da Camino.
A idade do Mestre é de sete anos. Mas ele conhece o valor alegórico dos números, não apenas até o número sete, que é o do seu Grau, mas muito além. Quanto ao número de Instruções, o Mestre tem três. É curioso observar que o número do Mestre, Sete, é o número de Instruções do Aprendiz, enquanto o número do Aprendiz, Três, é o número de Instruções do Mestre. Trata-se da relação simbólica dos números, tão estudada pela maçonaria.

MESTRE ARQUITETO
Cargo administrativo de uma Loja simbólica, em que o maçom é responsável pelo cargo de arquiteto, conservação do mobiliário e dos locais da Loja.

MESTRE DE BANQUETE
Cargo administrativo de uma Loja simbólica, responsável pela coordenação, preparação e administração dos banquetes.

MESTRE DE CERIMÔNIA
Oficial responsável pela postura dos maçons, dentro da ritualística, pela composição e pela distribuição dos cargos em Loja.

MESTRE DE HARMONIA
Oficial responsável pela música nas cerimônias.

MESTRE DE ISRAEL
Título do grau 7º do Rito Escocês Antigo e Aceito.

MESTRE DECORADOR
Cargo administrativo de uma Loja simbólica, responsável pela decoração da Loja.

MESTRE MAÇOM
Título dado ao maçom no grau 03º do Rito Escocês Antigo e Aceito.

MESTRE PERFEITO
Título dado ao maçom no grau 05º do Rito Escocês Antigo e Aceito.

MESTRE SECRETO
Título dado ao maçom no grau 04º do Rito Escocês Antigo e Aceito.

METAIS
Termo que designa dinheiro entre os maçons.

MISTÉRIOS, RELIGIÕES DE
Muitos autores afirmam que as religiões dos Mistérios da Antiguidade são a fonte da filosofia e da doutrina maçônica, e consistiam de um grupo de crenças e práticas que existiu em muitos países sob diferentes formas. No Egito, eram os Mistérios de Ísis e Osíris; na Grécia, os Mistérios de Orfeu, de Dionísio e de Deméter; em Roma, os Mistérios de Baco e Ceres. Muitas das grandes mentes daquela época, como o filósofo Pitágoras, foram iniciadas em alguma ou algumas destas escolas de sabedoria. Nada resta de puro deste antigo conhecimento místico. As iniciações, feitas através da tradição oral, se perderam ou foram corrompidas ao longo dos séculos. Fermentadas pelo segredo que envolvia as iniciações, histórias estranhas e boatos bizarros foram relacionados a elas. O testemunho de autores clássicos mostra, porém, uma face diferente dos Mistérios. O poeta trágico Sófocles escreveu que "três vezes felizes são os mortais que descem aos reinos de Hades depois de haverem contemplado os Mistérios". Platão também testemunhou sobre a santidade das iniciações. Em Fédon, onde o filósofo reflete sobre vida após a morte, Platão afirmou: "admito que possuíam iluminação os homens que estabeleceram os Mistérios e que, em realidade, tiveram intenção velada ao dizerem, há longo tempo, que quem quer que vá para o outro mundo sem estar iniciado e santificado jazerá no lodo, mas quem chegue ali iniciado e purificado, morará com os deuses".

MOBILIÁRIO
Parte do equipamento necessário para o funcionamento de uma Loja maçônica.

MOEDAS CUNHADAS
Termo que designa dinheiro entre os maçons (o mesmo que metais).

N

Um nível de bolha

NADIR
Ponto imaginário que supõe situado diretamente sob os nossos pés (oposto ao zênite).

NEÓFITO
Maçom recém-iniciado nos mistérios da maçonaria.

NÍVEL
Como o fio de prumo, este símbolo é derivado da maçonaria operativa. Usado para estabelecer um plano horizontal, simboliza a igualdade social, indicando que os direitos dos homens são os mesmos. O Nível maçônico é uma combinação de Nível e Prumo, com o formato de um Delta ou de uma letra A, de cujo centro pende um fio vertical. Isso evoca a justa igualdade, pois se a superfície não for perfeitamente horizontal, a linha irá pender para um dos lados. O Nível está presente na saudação do Grau, no movimento horizontal da mão direita até o ombro direito. É a joia do Primeiro Vigilante.

NOAQUITA (OU CAVALEIRO PRUSSIANO)
Título dado ao maçom no grau 21º do Rito Escocês Antigo e Aceito.

NOME MAÇÔNICO
O mesmo que nome simbólico.

NOME SIMBÓLICO
Prerrogativa que um maçom tem de escolher um pseudônimo em substituição do seu próprio nome (hoje quase não mais usado), fazendo com que seu verdadeiro nome fique mantido em sigilo quando lavrado nas atas das Lojas.

NORTE
Lado esquerdo da entrada da Loja. O mesmo que Coluna do Norte.

NOVE
O nove, representado pelo triângulo triplo, está relacionado à gestação humana. É o quadrado de três e também três vezes três, o que faz dele o número da perfeição. Na Antiguidade, acreditava-se que todas as artes e ciências humanas eram personificadas pelas nove musas. No cristianismo, é o numero do coro dos anjos e 99, o número da palavra "Amém".

NÚMEROS NA MAÇONARIA
Os números possuem grande importância na maçonaria e seu estudo é fundamental na compreensão dos mistérios que nos envolvem. A Ordem deriva o seu simbolismo numérico de muitas tradições, especialmente do pitagorismo (de zero a dez, veja números específicos para saber seu simbolismo).

O tríplice ternário representa a materialização perfeita da UNIDADE. Enquanto esta, por sua pureza e perfeição, atua no mais alto do Plano Espiritual, o NONO "céu", aquele ocupa o lugar mais baixo no Plano Material, ou seja, a matéria densa do Plano Físico. Mas é necessário também, ver-se aqui, mais uma vez, realizado o princípio de Hermes que afirma que "o que está em baixo é igual ao que está em cima". As realizações do Macrocosmo, através da representação simbólica dos NOVE primeiros números, se repetem no Microcosmo, de maneira idêntica. O homem, tal como Deus, elabora mentalmente os seus planos de trabalho, frutos da ideia, discute-os com inteligência e os executa através de seus cinco sentidos até conseguir a obra realizada! O homem repete; pois, o trabalho de Deus. Cria, como o faz o Criador e procura imprimir, em cada uma de suas novas criações a experiência adquirida nas criações anteriores.

O Plano Espiritual se divide em NOVE subplanos conhecidos como NOVE "céus". Estes "céus" são "habitados" por entidades "angélicas" citadas na Bíblia como os NOVE coros de anjos e que nada mais são que focos atômicos de energia diversificada da Energia UNA.

Boanerges B. Castro – O Simbolismo dos Números na maçonaria

O

OBEDIÊNCIA
Grupo de Lojas que aceitam uma mesma autoridade.

ÓBOLO
Donativo entregue por cada um dos maçons para obras de beneficência.

OBREIRO
Todos os maçons que estão trabalhando em uma sessão maçônica.

OBRIGAÇÃO
Compromisso tomado sob juramento ao neófito na cerimônia de iniciação.

OFICIAL
Mestre encarregado de uma responsabilidade em Loja.

OFICIAIS DA GRANDE LOJA
Em 1721, foram aprovados 39 artigos para o governo da confraria. O 12º regia os oficias das Grandes Lojas. "A Grande Loja consiste e é formada por Mestres e Guardiões de todas as Lojas regulares particulares sob registro, com o Grão-Mestre como presidente, seu Deputado à sua esquerda e os Grandes Guardiões em seus lugares devidos."
Logo depois da constituição da Grande Loja de Londres, decidiu-se que os antigos Grão-Mestres e deputados passariam a ser admitidos como membros da Grande Loja. Foi também decretado que a Grande Loja deveria constituir-se do Grão-Mestre em exercício, além de todos os antigos Grão-Mestres, o grande Tesoureiro, o Secretário, o Portador da Espada, o Mestre, os Guardiões e de um número de assistentes da Loja do Grande Administrador – além de todas as Lojas regulares a elas subordinadas.

Shutterstock.com/ lupungato

Templo maçônico na Filadélfia, EUA

Na Estrutura da Grande Loja, seus oficiais são divididos em grandes e subordinados. Os grandes, ou essenciais, como também são chamados, são vitais para a composição de uma Grande Loja. Sua importância é atestada pelo fato de existirem desde os primórdios da maçonaria.

OITO

O número oito é o binário do quaternário, a balança universal, a harmonia dentro da analogia dos contrários. Pitágoras chamava o oito de número da justiça e da plenitude. O oito na posição horizontal é a lemniscata, símbolo do infinito, representado nas Lojas Maçônicas pelos laços da Corda de 81 nós. O oito tem papel de destaque na simbologia budista. O lótus, símbolo da doutrina budista, foi escolhido por representar o espírito se elvando em direção à luz, ao mesmo tempo em que o corpo está preso à lama, e também porque tem oito pétalas. O oito é, também, o número da ordem e do equilíbrio cósmico. No cristianismo, é associado ao oitavo dia da Criação, isto é, à nova criação do homem. Por isso, representa a ressurreição de Cristo e a esperança na ressurreição da humanidade.

OLD CHARGES (ANTIGAS LEIS FUNDAMENTAIS)

Extraídas dos antigos documentos das Lojas de Ultramar, da Inglaterra, da Escócia e da Irlanda, para uso das Lojas de Londres, as quais devem sempre ser

> O número OITO está no limiar do caminho para a cognição dos mistérios do Plano Espiritual e, por isso mesmo, o campo de trabalho do estudante está ligado à esfera da Moral, onde ele terá de perscrutar, com paciência, todos os aspectos da vida superior, onde o homem, por seu desenvolvimento espiritual e intelectual, se situa a cavaleiro das questões menos elevadas que se apresentam no Plano Material.
>
> O OITO está ligado, estritamente, ao procedimento moral do homem e seu simbolismo foi muito bem caracterizado por Buda através dos ensinamentos que ele legou à humanidade e que são perfeitamente adaptáveis às necessidades do conhecimento que o Mestre Maçom, que se conscientizou sobre o número SETE, precisa ter.
>
> Boanerges B. Castro – O Simbolismo dos Números na Maçonaria

Relevo em templo grego: a maçonaria deriva muitos de seus ensinamentos das tradições místicas e operacionais da Antiguidade

lidas nas cerimônias de recepção de novos maçons, e sempre que o Venerável Mestre o ordene.

ONZE

O número onze é a polarização da unidade, o surgimento de um novo ciclo e corresponde ao dois, numa espiral superior. Onze era o número de discípulos de Jesus, após a queda de Judas Iscariotes. É também a soma de cinco e seis, a união do micro-

> O ONZE pode ser analisado como sendo o símbolo do Ideal humano sempre voltado para Deus na ânsia de pureza e perfeição! É a este Ideal que o Ritual se refere quando diz que o verdadeiro iniciado deve concentrar sobre si as energias espalhadas e difusas no ambiente. Estas energias são as que emanam do Absoluto e descem até os homens e, ainda, as destes, quando imbuídas de bons propósitos, de bons sentimentos e de pureza. As duas Energias – Divina e humana – se fundem imbuídos de bons propósitos, de bons sentimentos e de pureza. As duas Energias – Divina e humana – se fundem e se entrelaçam, como os dois Triângulos da Estrela de Davi e se espalham e difundem no ambiente, principalmente no Templo, onde o Iniciado deverá procurar haurir estes influxos regeneradores para seu melhor aperfeiçoamento, para purificar os sentimentos de seu coração e para elevar a sua mente até poder, com ela, alcançar as paragens infinitas onde habita o "inexprimível".
>
> Boanerges B. Castro – O Simbolismo dos Números na Maçonaria

Pão, vinho e as Escrituras: elementos para celebração da missa

cosmo e do macrocosmo representada pelo hexagrama pentálfico. É, também, o número dos pecados e das penitências, pois é maior que o número dos Mandamentos e menor que o 12, número da graça e da perfeição.

ORADOR

Oficial responsável pela guarda da Constituição, Regulamentos e Regimento Interno de uma Loja.

ORDEM

Sinônimo de maçonaria.

ORIENTE

Local da Loja onde fica o Venerável Mestre, também denominação de lugar.

ORIENTE ETERNO

Estado além da morte.

ORLA DENTADA

Borda marchetada de cores branco e preto que circunda o Pavimento Mosaico, pertencente aos ornamentos de uma Loja.

ÓSCULO (BEIJO FRATERNO)

Antigo costume do Oriente para exprimir a reverência e o afeto. Era muito usado entre os primeiros cristãos. "Terminadas as orações, saudamo-nos mutuamente com um beijo", escreveu Justino, o Mártir, na sua defesa do cristianismo. O beijo, saudação tradicional entre os membros de uma família, tornou-se um forte símbolo de unidade e reconciliação quando trocado entre os cristãos. Dava-se geralmente antes da partilha da Eucaristia para celebrar o fato de os homens e mulheres da comunidade serem irmãos e irmãs, em espírito, através do amor de Cristo.

O beijo era uma maneira de lembrar o amor de Jesus pela sua Igreja. Na verdade, a palavra grega utilizada no Novo Testamento para "beijo" é *philema*, derivada do verbo *phileín*, "amar". O apóstolo Paulo ordenava muitas vezes aos fiéis: "Saudai-vos uns aos outros com o ósculo santo".

A prática ajudou a despertar os boatos de incesto entre os cristãos. Mas o beijo na boca trazia outros e mais sérios problemas aos primeiros cristãos, como o de evitar que os ósculos santos se tornassem carnais. O fato de alguns "irmãos e irmãs" gostarem tanto dos ósculos santos que tornavam a repeti-los levou Atenágoras, apologista do século II, a aconselhar que o beijo litúrgico fosse um ritual "cautelosamente observado".

Com o tempo, surgiram normas que permitiam aos homens beijarem apenas os homens, e às mulheres apenas as mãos cobertas dos homens. Licínio, coimperador com Constantino de 311 a 324, proibiu o culto dos cristãos em assembleias mistas por causa dos rumores de beijos desregrados e promiscuidade generalizada.

Apesar dos falsos boatos de libertinagem espalhados pelos não crentes e das tentações físicas da parte dos fiéis, a Igreja no início manteve firmemente a prática. Mas, pouco a pouco, a troca de beijos na boca foi modificada. Na parte final da Idade Média, a Igreja começou a estimular o abraço em vez do beijo. Os fiéis eram instruídos a tocar os ombros da pessoa que recebia, que por sua vez segurava os cotovelos da pessoa que dava o beijo, inclinando ambos a cabeça um para o outro. Em épocas mais recentes, as Igrejas aconselhavam intensamente os fiéis, antes de partilharem a Eucaristia, a manifestar o espírito de unidade cristã apertando as mãos. Este gesto é conhecido como "sinal da paz".

Ainda conservado entre os Maçons como prova de sentimento fraternal entre os irmãos da Ordem.

P

PADRINHO
Nome dado ao maçom que apresenta um profano para ser iniciado. É o responsável pelas instruções ao seu afilhado, até que este atinja o Grau de Companheiro.

PAINEL DA LOJA
Quadro de pano, papel ou madeira, no qual estão desenhadas as figuras que servem para instrução maçônica ou para representar o grau em que se está trabalhando. É exposto depois de aberto os trabalhos e fechado quando do encerramento das seções. Foi desenhado pelo pintor inglês John Harris em 1820.

PALAVRA DE HONRA
A maçonaria reconhece na Palavra de Honra força suficiente para obrigar a quem a presta a cumpri-la na sua íntegra.

PALAVRA DE PASSE
Senha de reconhecimento entre os maçons, para que estes sejam reconhecidos dentro dos seus graus.

PALAVRA EM FAMÍLIA
Termo utilizado pelo Venerável Mestre, para quando estiverem participando de uma sessão, autorizar a conversa informal entre os maçons, sem que seja necessário manter a ritualística.

PALAVRA PERDIDA
Simbolicamente é a busca ao encontro da Verdade (que é o Verbo Divino).

PALAVRA SAGRADA
Senha de reconhecimento (em cada grau) utilizadas pelos maçons exclusivamente nas cerimônias maçônicas.

PALAVRA SEMESTRAL
Senha de reconhecimento entre os maçons, dada pelo Venerável Mestre aos membros de sua Loja, a cada seis meses, para que estes sejam reconhecidos em outras Lojas da sua Potência.

PARAMENTOS
Indumentária necessária para que um maçom possa trabalhar em uma loja regular.

PASSAPORTE MAÇÔNICO
Documento maçônico expedido pela Potência em que o maçom está regular, para que este seja reconhecido por outros membros da fraternidade em país estrangeiro.

PASSAR O MALHETE
Ato simbólico da transferência de comando de uma Loja, de um Venerável Mestre a outro.

PAST-MASTER
Ex. Venerável.

PATRIARCA DAS CRUZADAS (OU GRANDE ESCOCÊS DE SANTO ANDRÉ)
Título dado ao maçom no grau 29 do Rito Escocês Antigo e Aceito.

Shutterstock.com/ Eskemar

O pavimento mosaico

PAVIMENTO MOSAICO

Este símbolo, formado por ladrilhos quadrados alternados, brancos e pretos, é um dos três ornamentos da Loja (os outros dois são a Estrela Flamejante e a Borla Festonada de 81 nós). Em alguns Ritos maçônicos, as cores do Pavimento se alternam entre branco, preto e vermelho. O simbolismo do Pavimento Mosaico remete à diversidade dos homens e de todos os seres, animados ou inanimados. É, de certa forma, semelhante à *Rede de Indra*, da mitologia hindu e budista. A rede de Indra, o deus do Fogo, simboliza a inter-relação inexorável de todos os seres do universo. Os nós da rede – os pontos que unem todos os seres – são compostos de joias que refletem como milhares de espelhos todos os indivíduos relacionados.

O Pavimento de Mosaico representa o mundo com seus contrastes e remete à união dos opostos que devemos percorrer na busca da perfeição – a mistura de raças e das condições sociais.

PEÇA DE ARQUITETURA

Trabalho de pesquisa maçônica.

PEDRA ANGULAR

A base fundamental dos edifícios. O termo é tomado com denominação dos princípios em que repousa a maçonaria.

PEDRA BRUTA

O objeto de trabalho do Aprendiz tem profundo significado neste Grau. Ela representa o próprio maçom que apreende o Primeiro Grau, ainda "bruto" e que deve ser desbastado para se transformar em Pedra Cúbica, polida e regular, útil na construção de um mundo melhor. Simboliza, assim, o próprio Aprendiz no seu esforço para se aperfeiçoar, bem como as imperfeições do espírito e dos vícios do profano que o maçom deve corrigir. Também é emblema da juventude, a época da vida onde as paixões e os impulsos dominam. Presentes nos templos maçônicos, a pedra bruta é um bloco tosco de pedra colocado junto à coluna dos Aprendizes.

Pentagrama, também chamado de Estrela Flamejante.

PEDRA CÚBICA

Pedra simbólica que fica ao lado do Segundo Vigilante, com que os Companheiros aprendem a trabalhar (simbolicamente, aprendendo a polir a aspereza da vida).

PEDRA FUNDAMENTAL

Primeira pedra de um templo maçônico, cuja colocação é feita juntamente com um ritual particular.

PELA ORDEM

Prerrogativa que um obreiro solicita, para interferir em um assunto de sumo interesse.

PENTAGRAMA

Estrela de cinco pontas, cujas linhas se cruzam. De vértice voltado para cima, simboliza a vida em evolução; de vértice voltado para baixo, simboliza a vida em revolução. O pentagrama é, igualmente, um símbolo geométrico de harmonia, saúde e poder místico. Quando é usado em rituais mágicos, este símbolo normalmente é chamado de pentáculo. Sua origem remonta, provavelmente, à Babilônia de quatro mil anos atrás, onde era possivelmente usado como um modelo astronômico dos movimentos do planeta Vênus. Depois, tornou-se o signo estelar da Suméria e do Egito.

O pentalfa, como o pentagrama também é chamado, é emblema da natureza e do homem, pois suas cinco pontas iguais correspondem à cabeça e aos quatro membros do ser humano. Na maçonaria, é colocado na parede do Oriente das lojas simbólicas, sobre a cadeira do Venerável.

Alguns estudiosos dizem que era este o símbolo que aparecia no Selo de Salomão, embora outros digam que o famoso rei hebreu usasse o hexagrama como marca da sua autoridade. De qualquer forma, entre 300 e 150 a.C., o pentagrama foi, de fato, o selo oficial de Jerusalém.

Na Grécia, os seguidores do filósofo Pitágoras, conhecidos como pitagóricos, adotaram o pentagrama como emblema de saúde e harmonia mística, o casamento do céu e da terra, combinando o número dois

– terrestre e feminino – com o três – celeste e masculino. O resultado, o número cinco, representava para os pitagóricos o microcosmo da mente e do corpo humanos. A partir desse conceito, o pentagrama foi vagarosamente adquirindo um significado oculto.

Os gnósticos – os místicos cristãos – e os alquimistas associavam o pentagrama aos cinco elementos. Já para os cristãos, o pentagrama representava as cinco chagas de Cristo, e para as feiticeiras medievais, os poderes místicos que o rei Salomão tinha sobre a natureza e o mundo dos espíritos.

Os mágicos às vezes usavam um chapéu característico, feito de linho, com um pentagrama desenhado ou bordado para conjurar ajuda sobrenatural. Por causa do seu poder protetor, é comum que seja gravado em amuletos de pedra ou madeira, peles de animais e até mesmo em anéis. Na importante obra de Goethe, Fausto, o personagem principal desenha um pentagrama na porta da sua casa para evitar que Mefistófeles entrasse.

Quando o pentagrama é desenhado com uma ponta para cima e duas para baixo, é símbolo de magia branca – o "Pé do Druida". Com uma ponta para baixo e duas para cima, representa o "pé de bode" e os chifres do diabo. Os cabalistas judeus também usavam pentáculos desenhados dentro de círculos protetores. Na maçonaria, o pentagrama é um símbolo de aspiração, conhecido como "Estrela Flamejante".

PERFEITO (OU PERFEITÍSSIMO) PRESIDENTE

Título que dos presidentes do Soberano Tribunal do grau 31º do Rito Escocês Antigo e Aceito.

PERGAMINHO DE KIRKWALL

Para muitos historiadores e maçons, a prova da origem templária da maçonaria está no Pergaminho de Kirkwall, um dos mais antigos documentos maçônicos de que se tem notícia. Repleto de antigos emblemas, imagens e mapas o Pergaminho de Ensinamentos de Kirkwall foi datado do final do século XIV, quando a Ordem do Templo de Salomão foi dissolvida. É um dos poucos registros sobreviventes das cruzadas na Terra Santa.

O Pergaminho de Kirkwall não é, de fato, um pergaminho, isto é, o fino couro de cabra ou de carneiro usado durante a Idade Média para se escrever, uma vez que o papel era escasso e extremamente caro. O Pergaminho de Kirkwall é, na verdade, feito de linho resistente enegrecido nas bordas. Sua parte central contém uma série pintada de símbolos maçônicos que culminam na cena da Criação descrita na Bíblia. Há duas seções laterais que retratam a jornada das Tribos de Israel para a Terra Prometida.

Há uma profusão e confusão de ícones: a colmeia da indústria e o cavalete com prancha da construção; o esquadro e compasso, o prumo, o lápis, o pavimento enxadrezado, as Colunas de Jaquim e Boaz, um homem cercado por oito estrelas e o Olho que Tudo Vê do discernimento divino.

Outros símbolos mais antigos aumentam ainda mais o enigma de quem busca interpretar o pergaminho: um sol de seis pontas e uma lua com um rosto, cercada por sete estrelas, brilhando sobre o Jardim do Éden. Há também representações geográficas, possivelmente mapas: num trecho de oceano sob uma cadeia de montanhas, uma enguia e um peixe guiam diferentes tipos de baleias e de outras criaturas marinhas. Há também a intrigante imagem de um hermafrodita cor-de-rosa, um Adão confundido com uma Eva sob a sombra de uma Árvore da Vida – o princípio gnóstico do masculino fundido ao feminino.

PILARES

São os três grandes pilares que simbolicamente sustentam uma Loja (Sabedoria, Força e Beleza).

PIKE, ALBERT

Difusor do Rito Escocês Antigo e Aceito. Quando Pike recebeu o 32º grau, em 1853, os graus ainda estavam em sua forma rudimentar. Incluíam apenas uma breve história de cada um dos 33 graus, mas

Albert Pike

não tinham ainda um ritual correspondente. Em 1855, o Supremo Conselho nomeou um comitê para preparar e compilar rituais para os graus 4º ao 32º. Embora o comitê tivesse cinco membros, Pike executou sozinho todos os trabalhos. Em 1857, ele publicou cem cópias da sua primeira versão dos rituais. Pike também escreveu um livro de ensinamentos maçônicos que veio a se tornar fundamental na literatura não só do Rito Escocês Antigo e Aceito, mas da maçonaria em geral. *Moral e Dogma do Rito Escocês Antigo e Aceito da Maçonaria*, ou simplesmente *Moral e Dogma*, foi publicado pelo Conselho Supremo, Trigésimo Terceiro Grau, do Rito Escocês, Jurisdição do Sul dos Estados Unidos, em 1872.

O livro pretende ser um guia para o Rito Escocês. Consiste de orientações e ensaios de Pike que sistematizam os ensinamentos para os 33 graus do Rito Escocês. Dessa forma, seu trabalho estabeleceu as bases filosóficas, sociológicas, históricas, políticas, simbólicas e religiosas do Rito Escocês Antigo e Aceito. Conforme o próprio autor admite, Moral e Dogma é, de fato, uma grande compilação de textos maçônicos anteriores. No prefácio do livro, Pike escreve que, "ao preparar este trabalho, o Grande Comendador foi tanto Autor quanto Compilador, já que extraiu perto da metade de seu conteúdo dos trabalhos dos melhores escritores e dos pensadores mais filosóficos ou eloquentes".

Pike continuou seu trabalho estudando e compilando a literatura maçônica e, em 1884, completou a revisão dos rituais. Hoje, o Rito Escocês Antigo e Aceito é o Rito maçônico mais difundido no mundo.

PODEROSÍSSIMO

Título que se dá ao presidente da Loja nos graus 24º e 27º do Rito Escocês Antigo e Aceito.

PODEROSÍSSIMO GRANDE COMENDADOR

Título do Grão-Mestre do Supremo Conselho do Rito Escocês Antigo e Aceito.

PODEROSO

Titulo que se dá aos Veneráveis das Lojas dos graus 4º, 8º e 11º do Rito Escocês Antigo e Aceito.

PORTA BANDEIRA

Oficial que fica localizado no Oriente, à esquerda de quem entra, responsável pela guarda da Bandeira Nacional.

PORTA ESTANDARTE

Oficial que fica localizado no Oriente, à direita de quem entra, responsável pela guarda do Estandarte da Loja.

PÓRTICO

A entrada do Templo, especificamente a da Câmara do Meio.

POTÊNCIAS MAÇÔNICAS

A partir da promulgação da primeira Constituição Maçônica, em 1723, elaborada pelo reverendo James Anderson por determinação da Grande Loja de Londres, a maçonaria passou a adotar uma forma

Pórtico de edifício histórico em São Petersburgo, Rússia

Aparato maçônico usado por membro do corpo executivo da Grande Loja de Jerusalém Israel

de organização política que conserva daí por diante. As Lojas maçônicas adotam dois sistemas de organização política, chamadas de Potências ou Obediências: Grande Oriente e Grandes Lojas. O Grande Oriente são Federações de Lojas ou de Ritos em que não há imposição de um Rito específico. A única exigência é que o Rito seja reconhecido pelo Grande Oriente. A estrutura de poder dos Grandes Orientes é semelhante àquela existente no "mundo profano".

De acordo com o portal da Grande Loja Unida Sul Americana (GLUSA), "o Sistema Obediencial Grande Oriente compreende as Potências ou Obediências Maçônicas Simbólicas constituídas e organizadas à forma de governo do estado democrático em que 'todo o poder emana do povo e em seu nome será exercido', tendo Poder Executivo, exercido por um Grão Mestre, Poder Legislativo, representado por uma assembleia constituída de representantes das Lojas jurisdicionadas, e o Poder Judiciário, todos 'distintos e harmônicos entre si'."

PRANCHA

Qualquer tipo de correspondência maçônica.

PREBOSTE E JUIZ

Título dado ao maçom no grau 07º do Rito Escocês Antigo e Aceito.

PREPARADOR

Oficial que tem a função de receber os iniciandos e prepará-los para a iniciação.

PRIMEIRO DIÁCONO

Oficial auxiliar do Venerável Mestre, o que transmite as ordens do Venerável Mestre às colunas, transmitindo-as diretamente ao Primeiro Vigilante.

PRIMEIRO VIGILANTE

Oficial responsável pela coluna do Norte. O segundo cargo mais elevado em uma Loja. Encarregado pelas instruções e acompanhamento dos Aprendizes.

PRÍNCIPE ADEPTO (OU CAVALEIRO DO SOL)

Título dado ao maçom no grau 28º do Rito Escocês Antigo e Aceito.

PRÍNCIPE DAS MERCÊS (OU ESCOCÊS TRINITÁRIO)

Título dado ao maçom no grau 26º do Rito Escocês Antigo e Aceito.

PRÍNCIPE DE JERUSALÉM

Título dado ao maçom no grau 16º do Rito Escocês Antigo e Aceito.

PRÍNCIPE DO LÍBANO OU CAVALEIRO DO REAL MACHADO

Título dado ao maçom no grau 22º do Rito Escocês Antigo e Aceito.

PRÍNCIPE DO REAL SEGREDO

Título do maçom no grau 32º (também Sublime Príncipe do Real Segredo) do Rito Escocês Antigo e Aceito.

PRÍNCIPE DO TABERNÁCULO

Título dado ao maçom no grau 24º do Rito Escocês Antigo e Aceito.

PROFANO

Pessoa não iniciada nos mistérios da maçonaria.

PROVAS

Viagens simbólicas efetuadas pelo neófito durante a cerimônia de iniciação.

Q

QUADRO

Relação dos membros de uma Oficina.

QUATRO

É expresso pelo esquadro, figura de quatro lados e ângulos retos, pelo quadrado e pela cruz. Quatro era o símbolo da Terra, representando os quatro pontos cardeais. É o número das estações do ano, dos quatro elementos (fogo, água, ar e terra), dos quatro temperamentos, dos quatro rios do Paraíso, dos quatro evangelistas, entre outros. O quatro é um símbolo de totalidade.

Em seu *Moral e Dogma do Rito Escocês Antigo e Aceito*, Albert Pike escreve sobre o número quatro: "Fora do Jardim simbólico do Éden fluía um rio dividido em quatro correntes: PISON, que corre em torno da terra do ouro, ou a Luz; GIHON, que corre em torno da terra da Etiópia, ou as Trevas; HIDDEKEL, fluindo para o leste, para a Assíria; e o ÊUFRATES. Zacarias viu quatro carruagens vindo de entre duas montanhas de bronze, na primeira das quais havia cavalos vermelhos; na segunda, negros; na terceira, brancos; e na quarta, cinzentos: "e estes eram os quatro ventos dos céus, que avançam a partir do Senhor de toda a terra". Ezequiel viu as quatro criaturas viventes, cada uma com quatro rostos e quatro asas, as faces de um homem, de um leão, de um boi e de uma águia; e as quatro rodas

Shutterstock.com/ saiko3p

A quinta da regaleira, em Portugal: construção maçônica

subindo em seus quatro lados; e São João observou as quatro bestas, cheias de olhos na frente e atrás: o LEÃO, o jovem BOI, o HOMEM e a ÁGUIA voadora. Quatro era a marca da Terra. Portanto, no Salmo 148 daqueles que devem louvar o Senhor na terra, existem quatro vezes quatro, e quatro criaturas viventes em particular. A natureza visível é descrita como os quatro quadrantes do mundo e os quatro cantos da terra. "Existem quatro" diz o velho ditado Judeu "que estão em primeiro lugar neste mundo: o homem entre as criaturas; a águia entre as aves; o boi entre o gado e o leão entre os animais selvagens".

QUATRO MÁRTIRES COROADOS

Um dos mais antigos textos maçônicos é o Manuscrito Regius, escrito em forma de poema no começo do século XIV. O manuscrito faz referência a um dos ícones da maçonaria: a história dos "Quatro Mártires Coroados."

Diz a lenda que, no tempo do imperador Diocleciano – notório por suas perseguições aos cristãos –, cinco pedreiros recusaram-se a esculpir uma estátua pagã. Ao mesmo tempo, quatro soldados desobedeceram à ordem de incensar o altar de Esculápio, o deus da medicina. Os nove rebeldes foram executados. Condoído, o papa Melquíades concedeu, em 310, o título de *Quatuor Coronati* (Quatro Coroados) aos soldados, que passaram a ser padroeiros do ofício da construção em alvenaria.

QUITTE PLACET

Permissão para desligar-se do quadro de obreiro de sua Loja definitivamente. Dado ao maçom após ter ele cumprido com todos os seus deveres com os metais junto à Loja e à Ordem.

Palácio de Diocleciano em Split, Croácia

R

R.'. E.'. A.'. A.'. OU (R. E. A. A.)

Abreviatura de Rito Escocês Antigo e Aceito.

RAMO DE ACÁCIA

Símbolo da imortalidade, da vitória e da inteligência, respectivamente (igual a Ramo de Acácia).

RECEBER A LUZ

Ser iniciado.

RECREIO

Suspensão momentânea dos trabalhos, em que os membros podem se comunicar entre si, passar de uma coluna para outra e mesmo sair por alguns momentos do recinto, sem ter que pedir autorização superior.

RÉGUA DE 24 POLEGADAS

A régua é considerada um instrumento ativo, a qual remete à retidão, à precisão na execução, ao método, à lei justa, ao aperfeiçoamento de toda a construção. Simboliza ainda o infinito, visto que a reta não tem princípio nem fim. Associa-se à alavanca, instrumento passivo. A régua de 24 polegadas é uma haste de madeira ou metal dividida em 24 partes, cada qual correspondendo a uma polegada. Necessária para marcar os limites do esquadrejamento da pedra para que as suas bordas sejam retas, simboliza um caminho reto a seguir. É emblema da disciplina, da moral, da exatidão e da justiça.

A retidão, isto é, a observância das leis, sempre foi uma das principais preocupações da maçonaria. Toda a Natureza é regida por leis que garantem aquilo que os gregos antigos chamavam de *kosmos*, ou seja, "a ordem harmoniosa das coisas".

Na maçonaria, a régua simboliza um método de realização. Quando o candidato é admitido na maçonaria, ele dá seu primeiro passo em linha reta, levando a régua em seu ombro. As 24 polegadas da régua maçônica representam, ainda, as horas do dia.

REGULARIDADE MAÇÔNICA

Os maçons, suas Lojas e sua Obediência estão sujeitos a um conjunto de deveres chamados de regularidade maçônica. Estas regularidades têm três aspectos principais:

Regularidade de Origem: para ter sua origem reconhecida como regular, um Grande Oriente ou Grande Loja precisa ter sua origem reconhecida por

Wikicommons

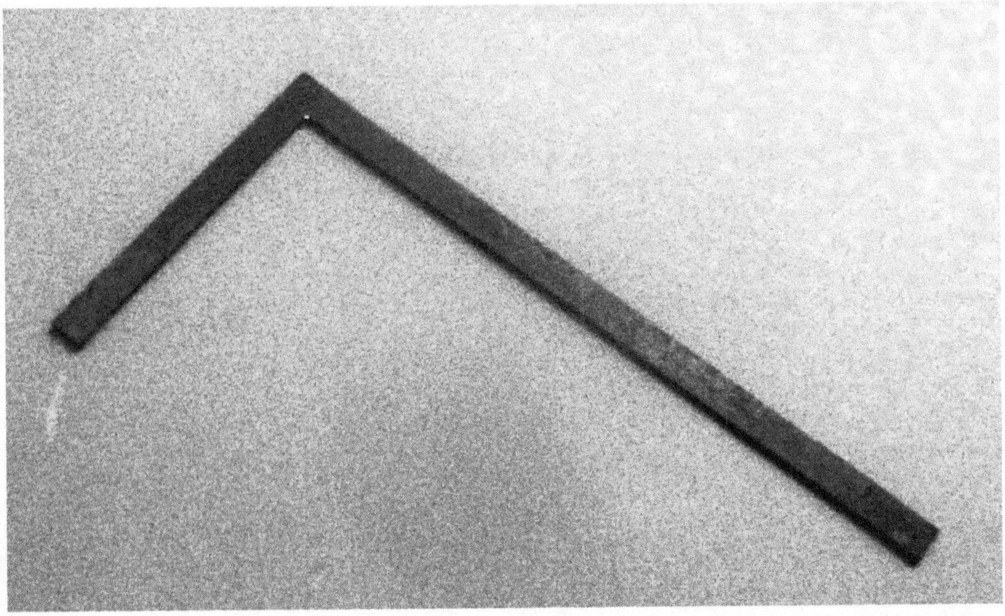

Régua do século III a.C., encontrada na China

Símbolo maçônico no templo neoclássico dedicado a George Washington - The George Washington Masonic National Memorial

outro Grande Oriente ou Grande Loja regular junto às outras Potências.

Reconhecimento: para que uma Obediência seja regular, ela deve ser reconhecida por outras depois de um tempo de observação. Caso a Obediência em questão não adquira ou mesmo perca o reconhecimento, ele deixa de ser regular.

Respeito às regras antigas: um Grande Oriente ou Grande Loja tem a Constituição de Anderson como principal regra a seguir. Há, porém, outros cinco pontos fundamentais a serem observados:

- Total respeito aos antigos deveres, reunidos nas Landmarks;
- A Obediência só pode aceitar homens livres, respeitáveis e de bons costumes que comprometam-se a viver o ideal de Liberdade, Igualdade e Fraternidade;
- Ter como objetivo o aperfeiçoamento do Homem, e, por conseguinte, de toda a Humanidade;
- Deve exigir que seus membros encenem os rituais maçônicos e iniciações como modo de acesso à Verdade;
- A Obediência deve promover entre seus membros o respeito às opiniões e crenças de todos, proibindo qualquer discussão e proselitismo religioso ou político em suas Lojas.

REMIDO

Estar livre do compromisso de presença em Loja, após 25 anos como maçom na jurisdição da Potência a que ele pertence.

RITO

A palavra rito na maçonaria tem dois sentidos diferentes: quando se escreve Rito (com letra maiúscula) é um conjunto de graus maçons, formando um todo coerente para designar um Rito particular da maçonaria (Escocês Antigo e Aceito, Andorinamita, York etc.). A palavra rito (com letra minúscula), é um conjunto de regras que fixam o desenvolvimento e as formas de trabalho em Loja nos diversos cerimoniais como: rito de despojar dos metais, o desenvolvimento dos trabalhos dentro de uma Loja etc..

RITOS MAÇÔNICOS

Os Ritos maçônicos são conjuntos de regras e procedimentos empregados nos cerimoniais das Lojas. Eles empregam símbolos e lendas para representarem princípios de moral, conceitos e ideias. Os símbolos empregados transmitem a filosofia que busca transformar os maçons em pessoas úteis e felizes.

Há cerca de 120 Ritos principais. Cada Rito é composto de graus pelos quais o maçom deve passar até atingir o mais elevado destes graus. São iniciações, revelações dos mistérios maçônicos. O número de graus é diferente de Rito para Rito. Hoje, o mais difundidos em todo o mundo – inclusive no Brasil – é o Rito Escocês Antigo e Aceito.

Alexandrino – o nome remete à cidade de

Cerimônia envolvendo maçons, no Arizona, EUA

Alexandria, fundada por Alexandre, o Grande, no Egito. Sem dúvida, o maior centro de produção de conhecimento da Antiguidade, Alexandria fundiu em si a cultura helênica e a antiga cultura egípcia. O ponto alto destes conhecimentos era representado mais profundamente pelos "Mistérios": o egípcio Mistérios de Ísis e o grego Mistérios de Elêusis. O atual Rito Alexandrino busca reunir estes antigos Mistérios, adaptando-os à maçonaria.

Andrógino – o autor maçom Rizzardo da Camino atesta que este Rito é uma "pseudomaçonaria." Não tem a ver com a maçonaria de adoção, mas é igualmente composta de homens e mulheres "que adotam os princípios universais maçônicos."

Antigos Maçons Livres e Aceitos da Inglaterra – este tradicional Rito, gestado na Inglaterra, espalhou-se rapidamente por todo o Reino Unido e Europa, exceto os Países papistas. Fundado em 1717, inaugurou a época moderna da maçonaria. Possui sete graus divididos em duas classes.

Antigo Reformado – o Rito, fundado no Rio de Janeiro em 2 de junho de 1822, tinha finalidades políticas visando à Independência do Brasil. Seus graus mais elevados eram o de Archote-rei, ocupado pelo príncipe Dom Pedro I, e o de lugar-tenente, assumido pelo criador do Rito, José Bonifácio de Andrade e Silva. Muitas das figuras-chave da independência faziam parte da Ordem. No entanto, ela durou pouco, dissolvendo-se depois de ter cumprido seus objetivos.

Astrológico – trata-se de um Rito inspirado em Zoroastro e sua doutrina. Pouco conhecido, também é chamado de Rito das Emanações Celestiais ou Rito das Inteligências Eternas.

Azul ou Simbólico – este Rito compõe-se apenas dos três primeiros graus universais e fundamentais da ordem: Aprendiz, Companheiro e Mestre.

Cabalístico – os fundamentos deste Rito englobam conhecimentos vindos da alquimia, magia e cabala.

Clerical – o rito Clerical é um dos momentos em que a maçonaria atraiu membros do clero, que certamente discordavam das orientações do papa. Fundada na segunda metade do século XVIII pelo judeu português Martinez Pascalis, era um Rito filosófico clerical e ultrajesuítico, fundamentado na cabala, alquimia e teosofia.

Escocês Retificado – também chamado de Rito Templário ou Rito de Willermoz, por conta de ter sido criado por Jean Baptiste de Willermoz, tem como principal prerrogativa trazer de volta antigas influências dos Cavaleiros Templários, especialmente do Rito da Estrita Observância Templária, e do antigo Rito de Heredom. Ao contrário do Rito Escocês Antigo e Aceito, criado nos Estados Unidos, o Rito Escocês Retificado tem sua origem na França no início dos anos 1770.

Grão de Mostarda – este Rito diz respeito à maçonaria Evangélica. Trata-se de uma inovação estabelecida na maçonaria alemã em 1739. Seu objetivo era a propagação dos Evangelhos por meio da maçonaria.

Heredom ou Rito de Perfeição – O Rito Escocês Antigo e Aceito tem sua origem no Rito de Perfeição, ou Heredom. De acordo com Rizzardo da Camino, o Rito de Heredom foi um Rito jesuítico templário que buscava a perfeição, por isso também é chamado de Rito de Perfeição. Constituía-se de 25 graus, cada qual programado para durar um determinado número místico de meses. No total eram necessários 81 meses – o número perfeito – para se completar as iniciações. Segundo diversos pesquisadores, o Rito de Heredom teria sido desenvolvido pelos cavaleiros templários que se refugiaram na Escócia, depois que sua ordem foi destruída. O autor maçom C.W. Leadbeater afirma que "a destruição da Ordem do Templo (os cavaleiros templários) não implicou, todavia, numa completa supressão do ensino nela entesourado. Alguns cavaleiros franceses se refugiaram na Escócia, entre seus irmãos do Templo, e neste país suas tradições se misturaram nalguma proporção com os antigos ritos celtas de Heredom, formando assim uma das fontes de que mais tarde se desenvolveu o rito escocês".

Iluminados da Baviera – este Rito, mais conhecido como *Illuminati*, recebeu uma aura de mistério por conta de ter aparecido em romances e filmes sobre teoria da conspiração. Os rumores sustentam que a fraternidade tem exercido, ao longo de sua existência, controle sobre o curso dos acontecimentos mundiais. Há até mesmo autores que afirmam que os Illuminati colocaram Hitler no poder e hoje dominam as orientações empresariais, políticas e científicas. A realidade histórica, porém, não sustenta essas teses. Aliás, uma das características das teorias de conspiração é o fato de não poderem ser provadas.

Fundada em 1º de maio de 1776 por Adam Weishaupt, um obscuro professor de direito da Universidade de Ingolstadt, na Bavária, Alemanha, a sociedade secreta Antigos Visionários Iluminados da Bavária baseava-se nas fontes que seu fundador bebera. Era uma mistura de preceitos maçons, sufismo – o misticismo islâmico – e, como Weishaupt tinha sido originariamente jesuíta, dos exercícios de disciplina mental de Santo Inácio de Loyola. Outro elemento era o uso ritual do haxixe, para produzir um estado mental "iluminado". A fraternidade chegou a abrigar membros da elite alemã do século XVIII, inclusive o pilar da literatura alemã Johann Wolfgang von Goethe (1749 – 1832). Mas a sociedade secreta não sobreviveu aos seus fundadores e acabou extinguindo-se ainda no século XVIII. A Ordem foi suspensa por uma série de editais publicados entre 1784 e 1787. O próprio Weishaupt acabou sendo banido e impedido de propagar suas ideias. A fraternidade foi destituída em 1784.

Irlandês – este Rito foi criado em função de uma finalidade exclusivamente política: a de apoiar a ascensão de Eduart Stuart, em 1747. É uma compilação dos graus praticados pelos escoceses.

Magos – originado dos Rosa-Cruzes e estabelecido na Itália. O secretismo deste Rito era tal que os participantes guardavam sigilo até mesmo entre si. Para tanto, seus membros compareciam às reuniões encapuzados.

MENFIS – Também chamado de Rito Oriental, fundado na França em 1839, Consta de noventa e nove graus.

Rito da Ordem do Templo – surgido em Paris, em 1806, fundamentava-se na Ordem dos Templários.

Rito dos Iluminados Teósofos – fundado em Londres, por Benedito Chastanier em 1767, o rito de seis graus buscava propagar a teosofia cristã

Rito Misraim – Também chamado de Rito Egípcio, ou Judaico. Consta de noventa e nove graus.

Rosa-Cruz – surgido na Alemanha do século XVII, esse Rito teve seus maiores momentos durante os séculos XVIII e XIX. Continua, porém, muito atuante. A Ordem Rosa-Cruz define-se como uma "organização internacional místico-filosófica." Não é uma religião, nem é doutrinária ou dogmática. Trata-se, antes, de uma filosofia. Sua missão é "despertar o potencial interior do ser humano, auxiliando-o em seu desenvolvimento, em espírito de fraternidade, respeitando sua liberdade individual."

Os rosa-cruzes dizem que seus ensinamentos vêm do Egito Antigo, mas alguns atribuem a "fundação" do rosacrucianismo a Christian Rosenkreuz.

Emblema maçônico

Nascido em 1378, na fronteira da Alemanha com a Áustria, Rosenkreuz foi um viajante que cruzou o mundo em busca de conhecimento. Depois de percorrer a Alemanha, Áustria e Itália, ele dirigiu-se ao Egito, onde foi acolhido pelos irmãos da Loja Egípcia. Ali, foi admitido em todos os graus dos mistérios egípcios e, ao voltar à Europa, fundou a Ordem Rosa-Cruz. Rosenkreuz teria morrido em 1484, ao 106 anos. No entanto, muitos discordam desta tese. Para eles, a Ordem Rosa-Cruz, com seu nome e símbolo – a cruz e a rosa – existe muito antes do cristianismo e de Christian Rosenkreuz. Segundo os iniciados, a cruz representa as vicissitudes da vida humana no mundo, e a rosa, a evolução do homem diante dessas transformações.

Os rosa-cruzes remontam o início da sua Ordem ao reinado do Faraó Tutemósis III, que governou o Egito de 1500 a 1447 a.C. Foi ele, acredita-se, quem organizou a primeira irmandade de iniciados fundada sobre princípios e métodos semelhantes aos adotados pelo rosacricismo. Porém, o Grande Mestre da entidade seria o Faraó Akhenaton (1353-1336 a.C.), o fundador da primeira religião monoteísta do mundo.

O atual método e organização de estudos da Ordem Rosa-Cruz foi idealizado por Dr. H. Spencer, um empresário e filósofo norte-americano, iniciado na Ordem Rosa-Cruz em 1909, na França, que acabou renovando o movimento. A sede mundial, ou Suprema Grande Loja, é localizada hoje na Califórnia, nos Estados Unidos, e a Grande Loja, que atende todos os Países de língua portuguesa, fica em Curitiba (PR).

Diz a lenda que o alemão Cristian Rosenkreutz, o "cultivador" da Ordem, retirou-se em uma caverna com tesouros e segredos, onde morreu, em 1484. Em 1604, o túmulo de Rosenkreutz foi descoberto. Os segredos escondidos teriam dado origem à Ordem Rosa-Cruz. Em 1662, a Ordem foi levada à Holanda, de onde espalhou-se para toda a Europa. Hoje, a Ordem ainda existe, mas sem a característica maçônica.

RITOS NO BRASIL

No Brasil, as Lojas trabalham, principalmente, com sete ritos:

Adoção – o Rito Adoção originou-se na França em 1730 e foi reconhecido pelo Grande Oriente da França em 1774. É um Rito que admite mulheres. Esse tipo de maçonaria, conhecida como andrógina, surgiu em várias épocas e lugares, como a do Rito de Adoção de Cagliostro e a do Rito Egípcio. É muito usado no Brasil (veja Comaçonaria).

Adonhiramita – foi criado em 1787 pelo barão Tschoudy. Tem inspiração nos símbolos encontrados no Templo de Salomão. O nome vem de "Adonirão", um arquiteto de Hiram, o construtor do Templo de Salomão. Compõe-se de dez graus e é muito usado no Brasil.

Escocês Antigo e Aceito – criado a partir do Rito de Perfeição ou Rito de Heredon fundada em

Shutterstock.com/ Georgios Kollidas

O escritor Johann Wolfgang von Goethe, num monumento em Weimar, Alemanha, era um illuminati

Wikicommons

Anel maçônico

1.150 na Escócia, composta de 25 graus. No ano de 1761 foi outorgado a Estevan Morin o título de Grande Inspetor do Rito de Perfeição. Morin ampliou os 25 graus para os 33 atuais. Levou o Rito para os Estados Unidos e em 31 de maio de 1801 foi criado em Charleston (Carolina do Sul) o primeiro Grande Conselho, difundido a partir de então, esse Rito em todo o mundo. A hierarquia do Rito Escocês Antigo e Aceito é dividido em 33 graus e assim distribuídos: 1) Graus Simbólicos, também chamados de graus dogmáticos ou fundamentais (do grau 1º ao 3º) (Aprendiz, Companheiro e Mestre); 2) Graus Inefáveis (do 4º ao 14º); 3) Graus Capitulares (do 15º ao 18º); 4) Areópagos ou Graus Filosóficos (do 19º ao 30º); 5) Graus Administrativos (do 31º ao 33º).

Gaúcho – adaptado do Rito Francês Antigo e Aceito, é uma tentativa de criar um Rito baseado no simbolismo gaúcho. Seguindo a hierarquia de uma estância gaúcha, seu fundador, cujo nome simbólico é José de Arimateia, estabeleceu três graus simbólicos: peão, capataz e patrão.

Rito Brasileiro – um tipo de maçonaria científica que nasceu no Brasil, conhecido por meio do nome de cujo nome verdadeiro é o Rito da maçonaria Renovada ou Rito-Maçônico-Perene.

Schroeder – fundado em 1766 pelo maçom que emprestou seu nome ao Rito, mistura magia, teosofia e alquimia. É ainda adotado em muitas Lojas e também no Brasil. "A magia e a alquimia, com a evolução da parapsicologia e da transpsicologia, assumiram novas características, agora científicas, motivando a razão de ser deste Rito", diz o autor de livros de maçonaria Rizzardo da Camino.

York – originado em 1777, na Escócia, foi introduzido pelos jesuítas em Londres com o nome de "Rito dos Antigos Maçons." Tem quatro graus, mas nos Estados Unidos foi ampliado para nove. Muitas Lojas brasileiras, especialmente as que usam o inglês como língua, adotaram esse Rito.

RITUAL (LIVRO)

Manual em que contém os rituais e as lendas de cada grau maçônico.

ROMÃ

Por terem suas sementes unidas entre si, simbolicamente representa os maçons no mundo em perfeita harmonia, solidariedade e a prosperidade entre eles.

ROMÃS

Emblemas que coroam as colunas J e B dos Templos e cujos grãos simbolizam a prosperidade e a solidariedade da família maçônica.

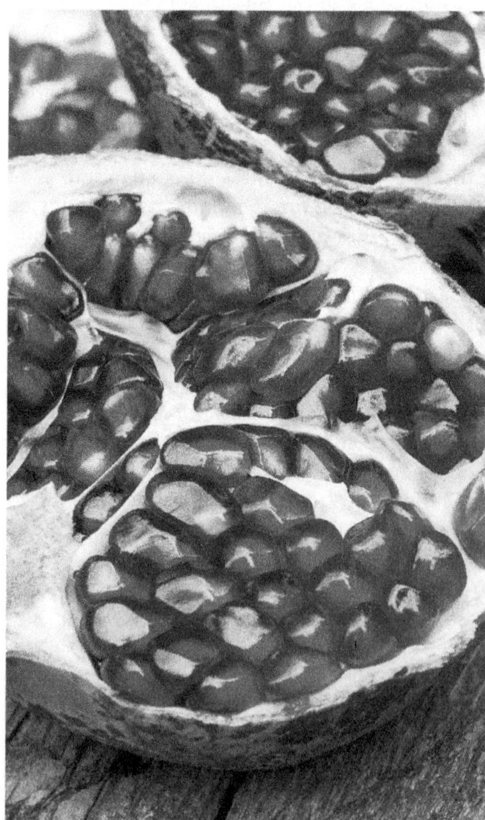
Shutterstock.com/ webwaffe

A romã é um importante símbolo bíblico também incorporado pela maçonaria

São João, o Apóstolo, por El Greco (c. 1600)

S

SABEDORIA
Um dos três sustentáculos de uma Loja, sendo as outras duas denominadas de Força e Beleza. A coluna da sabedoria. Ela é personificada no Venerável Mestre.

SACRIFICADOR
Título de um dignatário do grau 26º do Rito Escocês Antigo e Aceito e do Experto no grau 30º.

SALA DOS PASSOS PERDIDOS
A antessala, geralmente localizada antes da entrada do Templo.

SALÁRIO
Grau conseguido por um obreiro na sua Loja.

SALMOS
Nome com que são chamadas as orações e cânticos hebreus em homenagem a Deus, cuja composições são atribuídas em sua maioria ao rei Davi.

SANTO ANDRÉ
Patrono da Escócia, sob cujos auspícios trabalham as Lojas daquele país.

SANTOS NA MAÇONARIA
Quando a maçonaria assumiu seu caráter moderno, na Inglaterra no início do século XVIII, ela já incorporava o simbolismo cristão. Neste momento, surgiu a imagem do santo padroeiro da maçonaria. Na fraternidade, porém, o sentido do padroeiro é diferente do popular. Aqui, ele não representa a proteção vinda dos céus, a quem se dirige nos momentos de dificuldade, esperando-se por algum milagre. Na maçonaria, o padroeiro é um símbolo, um espelho ou metáfora, do seu mais profundo ideal. Os santos padroeiros da maçonaria são três: São João Evangelista, São João Batista e São João da Escócia.

SÃO JOÃO
Um dos santos padroeiros da maçonaria, João é um dos apóstolos de quem mais se tem informação. Marcos relata em seu evangelho que ele era irmão de Tiago, filho de Zebedeu. Antes de seguir Jesus, João tinha sido discípulo de João Batista. Logo depois que ele e Tiago entraram para o círculo íntimo dos discípulos de Jesus, o Mestre os apelidou de "filhos do trovão". Os dois, juntamente com Pedro e André, foram os discípulos privilegiados e participaram do círculo mais íntimo de Jesus e presenciaram a ressurreição da filha de Jairo, a transfiguração de Jesus na montanha e sua angústia no Getsêmani, quando o Mestre transpirou sangue.

Marcos deixou transparecer um pouco da personalidade de João ao descrever suas conversas com Jesus. Uma vez, ficou transtornado porque alguém mais estava pregando em nome de Jesus. "E nós lho proibimos", disse ele a Jesus, "porque não seguia conosco". Segundo Marcos, Jesus respondeu: "Não lho proibais... pois quem não é contra nós, é por nós".

Numa outra vez, ambiciosos, Tiago e João pediram a Jesus que lhes fosse permitido sentar, um à sua esquerda e outro à sua direita, no Reino dos Céus. O Mestre respondeu com uma profecia: "do cálice que eu beber, vós bebereis". Os maçons concordaram prontamente com isso.

João confirmou ser, de fato, um "filho do trovão" ao mostrar sua coragem na hora da morte de Jesus. No seu próprio evangelho, ele conta que era "conhecido pelo sumo sacerdote". Isso o tornaria facilmente vulnerável à prisão quando os guardas de Caifás prenderam Jesus. Mesmo assim, João foi o único apóstolo que se atreveu a permanecer ao pé da cruz. Nesta ocasião, Jesus pediu a ele que cuidasse da sua mãe. Segundo a tradição cristã, ele tomou conta de Maria enquanto evangelizava em Éfeso, onde ela morreu, durante o reinado de Trajano.

Durante seu ministério, de "filho do trovão", João se tornou o "apóstolo do amor". Algumas fontes mencionam que ele esteve em Jerusalém no ano 37. Depois, João aparece no Concílio dos Apóstolos, que se realizou em Antioquia. Mais inclinado à contemplação que à ação, sua ênfase era a elevação espiritual. De acordo com Clemente de Alexandria, ordenou bispos em Éfeso e outras províncias da Ásia Menor.

De todos os doze apóstolos, João foi o mais destacado teólogo. Os primeiros fragmentos dos escritos Joanitas foram encontrados em papiros no Egito, datando do começo do segundo século.

Vários autores confirmaram a tradição de que foi em Éfeso que João escreveu seu Evangelho e três Epístolas. O teólogo Jerônimo, do século IV, conta sobre um ancião chamado João que era carregado para as reuniões da Igreja de Éfeso. Sem forças para pregar, ele limitava-se a dizer: "meus filhinhos amai-vos uns aos outros". Irineu, bispo de Lyon no fim do século II, escreveu que João refutava os heréticos e viveu até a época de Trajano, que reinou de 98 a 117. Isso faria de João o último sobrevivente dos apóstolos e possivelmente o único a morrer de causas naturais.

Outros historiadores afirmam, por sua vez, que João morreu jovem, cumprindo a profecia que Jesus teria feito a ele e a Tiago: "do cálice que eu beber, vós bebereis". Na verdade, alguns historiadores afirmam que João foi perseguido por Herodes Agripa (41 – 44) e foi martirizado junto com seu irmão Tiago.

Há também tradições que afirmam que ele foi preso durante a perseguição de Domiciano (81 – 96), e exilado na Ilha de Patmos, no mar Egeu. De qualquer forma, parece mesmo ter havido nesta colônia penal rochosa um certo cristão conhecido como João. Como o exílio era pena comum a muitas ofensas, inclusive a de profetizar, muitos historiadores acreditam que este João pode ter sido o discípulo de Jesus. Nesta ilha estéril, João teria composto o Apocalipse, ou Revelação, o derradeiro livro da Bíblia.

SÃO JOÃO BATISTA

Outro santo padroeiro da maçonaria, João Batista (c.7 a.C. – 30 d.C.) é citado por inúmeros historiadores, entre os quais Flávio Josefo e os autores dos quatro Evangelhos da Bíblia. O batista era filho do sacerdote Zacarias e de Isabel, prima de Maria, mãe de Jesus. João era tido por muitos um homem consagrado, um profeta considerado pelos cristãos como o precursor do prometido Messias, isto é, Jesus. Foi ele quem batizou Jesus, iniciando assim o ministério deste.

A infância de João Batista foi profundamente influenciada pela religiosidade dos pais: Zacarias era um sacerdote e a sua mãe pertencia a uma sociedade chamada "as filhas de Araão", uma importante sociedade religiosa. Como não existia uma escola em Judá, é muito provável que seus pais o tenham levado a Engedi, atual Qumram, para estudar. Sabe-se através de um dos achados arqueológicos mais importantes do século XX que em Qumram havia uma comunidade de essênios, o que vincularia João às doutrinas e práticas dessa seita.

Depois que seus pais morreram, João ofereceu todos os seus bens de família à irmandade essênia, retirou-se para o deserto e passou pregar a vinda de um "Messias" que traria o "Reino do Céu". Por conta de se vestir com peles de animais e do tom dos seus discursos públicos, João Batista foi muitas vezes chamado de "encarnação de Elias". Era um profeta de esperança, pois a tônica da sua pregação era anunciar a vinda do Messias. João também purificava tanto judeus como gentios através do batismo.

João era um pregador heroico. Ele falava ao povo expondo os líderes iníquos e as suas transgressões. Numa de suas pregações, João repreendeu o tetrarca Herodes por conta da sua ligação com a cunhada Herodíades. Essa acusação pública chegou aos ouvidos do tetrarca, e João foi preso e, dez meses depois, decapitado. No entanto, de acordo com o historiador judeu Flávio Josefo, o verdadeiro motivo da prisão de João foi outro. Josefo, que escreveu no primeiro século da nossa era, afirma que "o povo se reunia em grande número para ouvir João Batista", o que, conclui o historiador, levou Herodes – um rei ilegítimo – a temer que o profeta liderasse uma rebelião. Por isso, Herodes tratou de prendê-lo e, em seguida, de executá-lo.

SÃO JOÃO DE ESCÓCIA

No Brasil, São João de Escócia é considerado o padroeiro da maçonaria. No entanto, pouco se sabe a respeito deste santo. Tampouco há muita informação disponível. Uma busca na Intenet se revela quase infrutífera, pois, apesar de a ferramenta de busca realmente trazer algumas referências sobre este santo, o que se descobre a seu respeito é quase nada.

São João Batista, por Leonardo da Vinci (c. 1516)

As camadas de lenda se acumularam e se amalgamaram de tal forma ao redor de São João de Escócia que se torna quase impossível conhecer a verdade. Ele seria, provavelmente, um outro santo. Muitos tratados maçônicos afirmam que as Lojas não são, de fato, dedicadas a São João Batista ou a São João Evangelista, mas sim a São João Esmoleiro, que havia sido Grão-Mestre dos Cavaleiros de São João de Jerusalém, durante as Cruzadas. João teria sido filho do rei de Chipre e abandonou tudo para ir a Jerusalém proteger os peregrinos cristãos e socorrer os feridos que lutavam pelo cristianismo. João foi ferido em combate diversas vezes e acabou morrendo na Terra Santa. Por ter se dedicado com tanto afinco à causa da Igreja, ele foi canonizado com o nome de São João, o Esmoleiro, ou São João de Jerusalém. Os maçons que lutavam nas Cruzadas, tocados pelo exemplo de João Esmoleiro, acabaram por escolhê-lo como seu patrono. No entender destes maçons, é São João da Escócia, com sua abnegação, dedicação e sacrifício em prol de uma causa maior, quem melhor espelha seu mais fundo ideal.

SAUDAÇÃO MAÇÔNICA

É a saudação que o maçom faz ao entrar ou sair da Loja, ao Venerável Mestre, ao Primeiro Vigilante, ao Segundo Vigilante, às autoridades e aos irmãos do quadro.

SECRETÁRIO

Oficial que prepara a Ordem do Dia, de acordo com a delegação do Venerável Mestre, secretaria e anota todo o andamento dos trabalhos maçônicos.

SECRETÁRIO ÍNTIMO

Título dado ao maçom no grau 06º do Rito Escocês Antigo e Aceito.

SEGUNDO DIÁCONO

Oficial auxiliar do Primeiro Vigilante. Responsável para transmitir a Palavra Sagrada ao Segundo Vigilante.

Wikicommons

Gargantilha do grau 95º do rito de Mênfis-Misraim

SEGUNDO VIGILANTE

Oficial responsável pela coluna do sul. O Terceiro Cargo mais elevado em uma Loja. Encarregado pelas instruções e acompanhamento dos Companheiros.

SEIS

Como Pitágoras não considerava que o um fosse um número verdadeiro, o seis era tido pelos pitagóricos como o meio entre o dois e o dez – o número perfeito. No simbolismo cristão, o seis é ambivalente: é sagrado por ser o número dos dias da criação, mas no Apocalipse, ele aparece como o número do mal – 666, o número da Besta.

O seis é a representação simbólica do Microcosmo, ou seja, o homem, cujas limitações estão representadas no círculo. O seis está representado na Estrela de Davi, emblema do Poder Divino e da fraqueza

A Estrela de Davi

A representação simbólica da Estrela de Davi é muito importante, pois ela representa as duas faces da existência e conhecidas pelo homem, ou seja: o Mundo Físico e o Mundo Espiritual. Assim, ela simboliza, com seus dois triângulos entrelaçados, a unidade do Espírito e da Matéria. É, ainda, o símbolo de Deus que reina sobre o Macrocosmo e o Microcosmo.

O Hexagrama tem, no seu triângulo de vértice para cima, a representação do BEM, enquanto que o que tem o seu vértice para baixo simboliza o Mal. O entrelaçamento dos dois triângulos, no entanto, traz o equilíbrio e reafirma a sentença de Hermes: "O que está embaixo é como o que está em cima".

Outras representações são atribuídas ainda aos dois triângulos: as forças ascendentes e descendentes; os princípios masculino e feminino e, ainda, a atividade e a passividade. No centro da Estrela formada pelos dois triângulos, que representam os mundos Espiritual e Material, há um campo, poligonal que representa o mundo subjetivo do homem, onde ele se coloca como o veículo das manifestações dos dois mundos: o Superior e o Inferior.

Boanerges B. Castro - O Simbolismo dos Números na Maçonaria

Shutterstock.com/ Evikka

A Estrela de Davi

humana. O Hexagrama, colocado sobre o Trono do Venerável Mestre, é formado por dois triângulos que se entrelaçam, tendo um o seu vértice voltado para cima, enquanto o outro está com o vértice voltado para baixo. Isto forma uma Estrela de seis pontas – a Estrela de Davi.

SENADO MAÇÔNICO

Órgão legal máximo das Lojas e dos corpos maçônicos a elas subordinados, comumente chamado de Grande Loja, Grande Oriente ou Grande Conselho.

SERENÍSSIMO

Designação dada ao Grão-Mestre de uma Potência Maçônica.

SESSÃO

É a realização de reuniões maçônicas, também denominadas de trabalhos. Podem ser: ordinárias, extraordinárias, administrativas, iniciárias, magnas, de instalação, de instrução, de famílias, acadêmicas, fúnebres, brancas etc.

SESSÃO BRANCA

Reunião maçônica onde são admitidos não maçons.

SESSÃO BRANCA COBERTA

Reunião maçônica onde somente o palestrante não é maçom.

SESSÃO DE TRABALHO

Reunião maçônica onde são admitidos somente maçons.

SETE

Número peculiarmente sagrado, estudado nos Graus de Companheiro e de Mestre.

Existiam sete planetas e esferas presididas por sete arcanjos. Existiam sete cores no arco-íris e em seis dias Deus criou o Universo e descansou no sétimo dia. Noé foi instruído a levar os animais castos em grupos de sete à arca; e as aves em grupos de sete; porque a chuva iria começar dentro de sete dias. Havia sete luzes no grande candelabro do Tabernáculo e do Templo, representando os sete astros. O número sete está na escala musical, nos sacramentos, nas virtudes e nos pecados, e no Apocalipse, com sete igrejas, sete candelabros, sete estrelas, sete trombetas, sete cornos, sete tacas, sete

> Em seu sonho, o Faraó viu sete vacas gordas e sete vacas magras, sete anos bons e sete anos pobres em aveia; e houve sete anos fartos e sete anos de fome. Jericó caiu quando sete sacerdotes, com sete trombetas, circularam ao redor da cidade por sete dias sucessivos; uma vez por dia durante seis dias e sete vezes no sétimo. "Os sete olhos do Senhor" diz Zacarias "foram e voltaram por toda a terra". Salomão construiu o Templo em sete anos. Sete anjos, no Apocalipse, derramam sete pragas, de sete frascos de fúria. A besta escarlate na qual a mulher se senta no deserto tem sete cabeças e sete chifres. Também os tem a besta que se ergue do mar. Sete trovões se fazem ouvir. Sete anjos tocaram sete trombetas. Sete lâmpadas de fogo, os sete espíritos de Deus, queimaram ante o trono; e o Cordeiro que foi sacrificado tinha sete cornos e sete olhos.
>
> Albert Pike: Moral e Dogma

Wikicommons

A Torre de Babel, por Pieter Bruegel, o Velho (1563), com seus sete patamares

anjos, sete selos, sete flagelos, um dragão de sete cabeças e um cordeiro de sete olhos.

Os povos antigos cultuavam o número sete. Os babilônicos construíram sete patamares na torre de Babel; os egípcios, a pirâmide escalonada de Meidum com sete degraus. Estas construções simbolizavam a unidade entre o céu e a terra.

A imagem dos sete planos do Universo, o ser humano possui sete corpos sutis, cada um deles formado em sete estágios, dos quais os sete chacras ou centros de força veiculam a energia cósmica.

Existem sete planos pelos quais se desce do céu à terra e sete degraus para adquirir a consciência cósmica representada pelo sétimo sentido ou percepção divina.

SETE INSTRUÇÕES DO APRENDIZ

Para seguir em sua trilha rumo à iluminação, o maçom recebe, na maçonaria simbólica, uma série de ensinamentos passados por meio de símbolos e alegorias contidas em seus Templos e suas instruções. Essas instruções fazem parte dos manuais ritualísticos de cada grau e são obrigatórias para que o iniciado possa evoluir ou ter o direito a "aumento de salário", como é chamada a passagem de um Grau a outro superior – uma clara referência à origem maçônica nas antigas guildas de construtores. O grau de Aprendiz tem sete instruções, o de Companheiro, cinco e o de Mestre, três instruções.

Depois de receber as instruções, o Aprendiz deve preparar um trabalho sobre o tema apresentado, consultando, quando tiver dúvidas, o padrinho, o Vigilante de sua Coluna ou a algum Mestre antigo. O trabalho deve ser entregue, no caso dos Aprendizes e Companheiros, aos Vigilantes correspondentes e, no dos Mestres, ao Venerável para a apreciação e liberação para ser lido em Loja.

SILVA, JOSÉ BONIFÁCIO DE ANDRADA E

José Bonifácio de Andrada e Silva, o "Patriarca da Independência" foi um notório maçom. Nascido em 13 de junho de 1763, José Bonifácio formou-se em Direito Civil e Filosofia na Universidade de Coimbra, em Portugal. Viveu muito tempo na Europa, recebendo na França influências do ambiente revolucionário. Segundo alguns escritores, a família real sabia de sua capacidade e temia que ele próprio proclamasse a independência brasileira. Por isso, pagavam seus estudos e o mantinham longe.

Depois de voltar ao Brasil, dedicou-se ao estudo de minerais. Tornou-se figura de projeção política a partir de 1821, como vice-presidente da Junta Governativa de São Paulo, planejando a separação de Portugal e influenciando o príncipe Dom Pedro a apoiá-la.

Foi o primeiro brasileiro a ocupar um ministério, o do Reino, em janeiro de 1822. No entanto, em 1823, com seu irmão Martim Francisco, afastou-se dos Conselhos da Coroa, iniciando a oposição a D. Pedro I.

Eleito para a Assembleia Constituinte de 1823, foi preso e deportado para a Europa, segundo ordens de D. Pedro I, no mesmo ano. Voltou ao Brasil em 1829 e assumiu a cadeira de Deputado pela Bahia, como suplente, nas sessões legislativas de 1831 e 1832. Reaproximou-se do Imperador que, ao abdicar à Coroa, em 1831, o indicou para tutor de seu filho – o futuro Dom Pedro II.

Novo revés, foi destituído da tutoria, pela Regência, em setembro de 1833. Ficou em prisão domiciliar até 1835, quando terminou o processo-crime instaurado contra ele por conspiração e perturbação da ordem pública.

Mudou-se nos últimos dias de vida para Niterói, Rio de Janeiro, onde morreu, em 1838.

SÍMBOLO

Como em toda grande tradição de sabedoria, a maçonaria lança mão de símbolos para expressar seus conhecimentos iniciáticos. Os símbolos têm um efeito muito poderoso na psique humana, sendo mais eficientes do que palavras. O significado encerrado em um termo qualquer nunca traduz, de fato, a essência que busca comunicar. Em *The Cambridge Companion to Jung* (Cambridge University Press), os psicólogos britânicos Polly Young-Eisendrath e Terence Dawson definem símbolo da seguinte maneira: "a melhor expressão possível para algo que é inferido, mas não diretamente conhecido, ou que não pode ser definido adequadamente por meio de palavras".

Um pouco mais adiante, os organizadores alertam: "um símbolo não deve ser confundido com um 'sinal'". A diferença entre símbolo e sinal tem a ver não com a representação em si, mas com o receptor da informação. Por exemplo, para um cristão que passa em frente a uma igreja, a cruz no alto do seu campanário é um símbolo

Wikicommons

O maçom José Bonifácio de Andrada e Silva, Patriarca da Independência do Brasil, por Benedito Calixto (1902)

que expressa o inefável mistério do sacrifício de Cristo. No entanto, se quem passar em frente à igreja for um budista ou um muçulmano, a cruz será apenas um sinal, indicando que ali é um lugar onde encontro entre pessoas da fé cristã.

Os símbolos inspiram e ensinam. São a matéria-prima da arte; uma "gramática" atemporal que pode nos lembrar aquilo que sempre existiu, mas que já foi esquecido.

SINAL
Senha de reconhecimento por sinais entre os maçons.

SINAL DE ORDEM
Sinal simbólico que se faz reconhecer o grau quando se está trabalhando em uma Loja.

SINAL DE RECONHECIMENTO
Sinal que permite a um maçom ser reconhecido por outro maçom.

SINAL DE SOCORRO
Sinal particular, de conhecimento dos Mestres Maçons, que lhes permitem chamar os maçons da ordem em sua ajuda.

SINDICÂNCIA
Investigação ordenada pelo Venerável Mestre para verificar a vida, a conduta moral e os costumes dos candidatos a se iniciarem nos mistérios maçônicos.

SINDICANTE
Mestre maçom designado pelo Venerável Mestre para verificar a vida, a conduta moral e os costumes de candidato a se iniciar nos mistérios maçônicos.

SOBERANO PRÍNCIPE DA MAÇONARIA (OU MESTRE AD VITAM)
Título dado ao maçom no grau 20 do Rito Escocês Antigo e Aceito.

SOBRINHO(A)
Tratamento que os maçons dão aos filhos dos seus irmãos da Ordem.

SOLSTICIAIS (FESTAS)
Festas solenes celebradas pela maçonaria por ocasião dos solstícios de verão e de inverno.

SOLSTÍCIO
Os pontos na Enclítica, em que o Sol está em sua distância máxima (ao norte ou ao sul do Equador) e, que assim são chamados, porque parece que o Sol está parado. São dois os Solstícios, o de inverno e o de verão.

SOLSTÍCIO DE INVERNO
Festa solene celebrada pela maçonaria por ocasião do solstício de inverno, dedicada a Esperança.

SOLSTÍCIO DE VERÃO
Festa solene celebrada pela maçonaria por ocasião do solstício de verão, dedicada ao reconhecimento.

SONO
Afastamento ou suspensão temporária de um maçom dos trabalhos de sua Loja. Passando este para a categoria de adormecido ou dormente.

SUBLIME CAVALEIRO ELEITO (GRANDE ESCOCÊS)
Título dado ao maçom no grau 11° do Rito Escocês Antigo e Aceito (também Grande Inspetor).

SUBLIME ESCOCÊS (OU GRANDE (GRÃO) PONTÍFICE)
Título dado ao maçom no grau 19° do Rito Escocês Antigo e Aceito.

SUBLIME MAÇOM (OU GRANDE ELEITO PERFEITO)
Título dado ao maçom no grau 14° do Rito Escocês Antigo e Aceito.

SUBMISSÃO
Ato solene em que o maçom se submete às leis da Instituição e à jurisdição da Loja e da Potência da qual ele passa a depender.

SUFRÁGIO
Princípio democrático pelo qual a maçonaria confere a todo maçom em pleno gozo de seus direitos, a faculdade de votar e ser votado em eleições.

SUL
Lado direito da entrada da Loja. O mesmo que Coluna do Sul.

SUMO
O mais alto, o mais elevado.

SUPREMO CONSELHO
Potência maçônica responsável pelos corpos representados pelos graus 4° ao 33° no Rito Escocês Antigo e Aceito.

T

TABERNÁCULO

Pavilhão destinado à morada temporária (tenda). Local onde os hebreus praticavam o culto religioso. Do Tabernáculo procede a Câmara do Meio.

TÁBUA DE ESMERALDA, TÁBUA ESMERALDINA

É o texto escrito por Hermes Trismegisto que deu origem à Alquimia. Preservada nos seguintes textos: Kitab Sirr al-Khaliqa wa Sanat al-Tabia, Kitab Sirr al-Asar, Kitab Ustuqus al-Uss al-Thani, e Secretum Secretorum. Abaixo, a tradução da Tábua Esmeraldina:

(1) É verdade, certo e muito verdadeiro:

(2) O que está embaixo é como o que está em cima e o que está em cima é como o que está embaixo, para realizar os milagres de uma única coisa.

(3) E assim como todas as coisas vieram do Um, assim todas as coisas são únicas, por adaptação.

(4) O Sol é o pai, a Lua é a mãe, o vento o embalou em seu ventre, a Terra é sua alma;

(5) O Pai de toda Telesma do mundo está nisto.

(6) Seu poder é pleno, se é convertido em Terra.

(7) Separarás a Terra do Fogo, o sutil do denso, suavemente e com grande perícia.

(8) Sobe da terra para o Céu e desce novamente à Terra e recolhe a força das coisas superiores e inferiores.

(9) Desse modo obterás a glória do mundo.

(10) E se afastarão de ti todas as trevas.

(11) Nisso consiste o poder poderoso de todo poder: Vencerás todas as coisas sutis e penetrarás em tudo o que é sólido.

(12) Assim o mundo foi criado.

(13) Esta é a fonte das admiráveis adaptações aqui indicadas.

(14) Por esta razão fui chamado de Hermes Trismegisto, pois possuo as três partes da filosofia universal.

(15) O que eu disse da Obra Solar é completo.

TEMPLÁRIO

Quando os cristãos conquistaram Jerusalém, durante a Primeira Cruzada (1095 – 1099), a Ordem dos Cavaleiros do Templo de Salomão foi fundada por Hugues de Payens – um nobre da corte de Champanhe, na França – para guardar os lugares santos e proteger os peregrinos cristãos. Durante os dois séculos que permaneceram na Síria, no Líbano e Palestina, estes monges guerreiros acumularam riqueza maior que a de muitos reinos e se familiarizaram com tradições místicas e inovações arquitetônicas e navais desconhecidas na Europa de então. Seu papel era o de defender a fé e de viver a vida de monges armados da mesma forma que os religiosos guerreiros muçulmanos, seus inimigos, das seitas sufi e ismaelita. Na Palestina, os cavaleiros absorveram as filosofias e ciências árabes contemporâneas e também técnicas de construção que derivavam do conhecimento clássico grego. Tendo muitos pedreiros na sua ordem, eles usavam descrições bíblicas do Templo de Salomão e de ferramentas de construção no simbolismo dos seus desenhos e cerimônias. Influenciados pelo neo-platonismo, eles acreditavam em um Deus, o Arquiteto do Universo. Os templários também se tornariam os portadores de conhecimento hermético e cabalístico, o qual teriam transmitido para os membros das guildas

Wikicommons

Reconstituição do tabernáculo em Timna, Israel

Shutterstock.com/ garanga

Cavaleiros templários

de construtores sob sua responsabilidade.

No final da Idade Média, logo após o final das Cruzadas, as ideias originais e a força política dos ideais maçônicos foram revitalizadas. Os responsáveis pela introdução de novos elementos teriam sido, segundo alguns historiadores, os cavaleiros templários, os quais eram responsáveis, na época, pelos canteiros de obras da Igreja em toda Europa e pelas guildas de construtores que erguiam estes edifícios. Um dos defensores desta ideia foi Sir Christopher Wren, um Grão-Mestre maçom com acesso a documentos antigos do movimento. De acordo com Wren, foram os Cavaleiros do Templo de Salomão que trouxeram do Oriente Médio ideias islâmicas sobre arquitetura, as quais acabaram se espalhando por toda Europa.

TEMPLO

Na maçonaria, o próprio templo é um símbolo. Representa o objetivo da construção do maçom e do trabalho da maçonaria. Representa, assim, o Homem perfeito, a Humanidade ideal do futuro e, por extensão, a paz, a harmonia, a liberdade, a igualdade e fraternidade, o bem, em suma, o conjunto de todas as virtudes maçônicas. Simultaneamente, microcosmo e macrocosmo, as dimensões do templo são infinitas: do ocidente ao oriente, do setentrião ao meio-dia, do nadir ao zênite.

O local de reunião de uma Loja tem a forma retangular e não deve ter janelas. As paredes são pintadas de azul, decoradas com um cordão que forma, de distância em distância, 81 nós emblemáticos. O teto representa a abobada celeste, repleta de estrelas.

A palavra "templo" remete, é claro, ao Templo de Salomão. Apesar disso, os templos maçônicos não refletem o edifício histórico. Não se pode dizer que existe um "estilo maçônico" pelo qual se é capaz de identificar uma loja maçônica apenas pela observação do seu exterior.

O simbolismo do templo remete às palavras de Jesus, quando, ao expulsar os cambistas e mercadores do Templo de Jerusalém, afirmou ter poder para agir daquela maneira porque iria "destruir este templo e em três dias o reedificarei". Ele se referia ao templo do seu corpo. Este é o templo maçônico.

São Paulo traduziu estas ideias afirmando que "sois Templo de Deus e o espírito de Deus habita em vós".

Wikicommons

Martírio de Tiradentes, óleo sobre tela de Francisco Aurélio de Figueiredo e Melo (1854 — 1916)

TEMPLO DE SALOMÃO

Na acepção maçônica este templo é mítico. É a imagem da representação do Universo e de todas as maravilhas e perfeições da criação. Na bíblia, é o Templo que o rei de Israel Salomão, mandou erigir em Jerusalém, sobre o monte Moriah, cujos dados arquitetônicos a maçonaria adotou para a formulação e perpetuação do seu simbolismo.

TERRA

Um dos quatro elementos purificadores na cerimônia de iniciação ou elevação do candidato.

TESOUREIRO

Oficial responsável pelos valores monetários da Loja.

TIRADENTES

Para conseguir apoio para libertar Minas Gerais de Portugal, o ex-alferes Joaquim José Domingos Xavier, apelidado, Tiradentes, fundou uma Loja Maçônica em Diamantina, buscando congregar elementos interessados no movimento revolucionário. Logo se formou um triângulo de informações entre Diamantina, Vila Rica e Rio de Janeiro. Através dos contrabandistas de diamantes ingleses, notícias sigilosas eram enviadas da Europa ao grupo de conspiradores. Com base na Constituição norte-americana, os inconfidentes elaboraram uma Constituição brasileira. Decidiram, também, que com o sucesso da revolta fariam a capital do novo país em São João d'El-Rei, aboliriam a escravidão e fundariam uma universidade em Vila Rica. No entanto, os conspiradores foram traídos. Ironicamente, quem revelou toda trama às autoridades foi o também maçom Joaquim Silvério dos Reis.

TOQUE

Senha de reconhecimento por contato físico entre os maçons.

TRAÇADO

O mesmo que escrito.

TRAJE MAÇÔNICO

Traje a rigor na cor escura (preferencialmente preto), sapatos pretos e gravata branca. Sendo permitido gravatas discretas. É aceito o uso do balandrau em substituição do terno escuro.

TRÊS

Também chamado Tríade, considerado o número perfeito. A Trindade da Divindade, de uma forma ou outra, tem sido presente em todos os credos. Ela cria, preserva e destrói. É o poder gerador, a capacidade produtiva e o resultado. É a pessoa formada por corpo, alma e espírito. Os Três Pontos, sempre presentes nos textos maçônicos, relaciona-se à simbologia do número três, que remete a várias interpretações: luz, trevas e tempo; passado, presente e futuro; sabedoria, força e beleza; nascimento, vida e morte; liberdade, igualdade e fraternidade.

TRIÂNGULO

Sessão de estudos formada pela reunião de três maçons.

TRIÂNGULO COM OLHO

No templo das Lojas, sobre a cadeira do Venerável da Loja – o trono –, há um triângulo luminoso com um olho humano. É a representação da presença material de Deus. O olho representa "Aquele que tudo

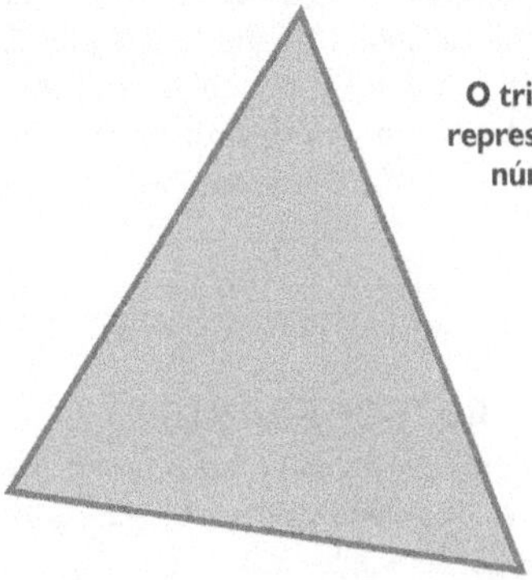

Wikicommons

O triângulo representa o número 3

Um terceiro elemento há que ser juntado aos dois primeiros para que a Vontade Suprema, expressa antes apenas pela sua manifestação, se materialize com o aparecimento da "forma", eis que o ponto (YOD) situado no centro do círculo (ZERO), ou a linha que parte deste ponto (UM) e se divide nos "contrários" (DOIS) não constituem um sólido com "forma" definida. A adição de um terceiro elemento, originado pela firmeza do pensamento, por uma elevada devoção, regida por sólida Sabedoria e exercitado por louváveis desejos de Ações, cria a "forma" original que é a consequência do elemento formado por aqueles propósitos e que liga aqueles dois raios formando o Triângulo que é a "forma" primitiva e perfeita, geradora de muitas outras formas poligonais. É o TRÊS, número considerado perfeito porque resulta da soma da UNIDADE com a DUALIDADE, conduzindo ao equilíbrio dos "contrários" e realizando os propósitos de Deus, que é a elevação do homem.

Boanerges B. Castro - O Simbolismo dos Números na Maçonaria

vê". Simboliza igualmente o Verbo, o princípio criador, a presença omnisciente de Deus, a omnisciência da razão superior, omnisciência do dever e da consciência. O olho não deve ser direito nem esquerdo, mas impessoal e abstrato. Curiosamente, os budistas também empregam um "Olho que tudo vê" nas suas *stupas* (templos) para representar Deus.

Embora o triângulo que envolve o olho não seja obrigatório, é um dos símbolos maçônicos mais conhecidos. Em algumas Lojas, em vez de olho, há uma letra G, ou a palavra "Iod" em caracteres hebraicos. Aqui, a representação é a do Grande Geômetra, outra expressão para designar o Grande Arquiteto do Universo. Sua importância maior está no Grau Companheiro.

TRIBUNAL

Loja do 27º grau do Rito Escocês Antigo e Aceito.

TRIBUNAL (SOBERANO)

Título da Alta Câmara ou Loja dos Grandes Inspetores Inquisidores, Comendadores do grau 31º do Rito Escocês Antigo e Aceito.

Olho localizado em um triângulo delta, faz relação com a presença diante de Deus e sua onisciência

TRIPONTUAÇÃO

Abreviação maçônica. Somente empregado para abreviação de termos maçônicos.

TROLHA

Instrumento de pedreiro de forma triangular (a colher de pedreiro), adotado na maçonaria como instrumento simbólico. É o emblema do amor fraternal que deve unir todos os maçons.

TROLHADOR

Obreiro encarregado de reconhecer os visitantes de uma Loja.

TROLHAR (TROLHAMENTO)

Instruir (ou sabatinar) um maçom regular, quanto a toque, palavras, sinais e o significado do seu grau.

TRONCO

Bolsa (ou sacola) em que os maçons depositam valores para determinados fins específicos.

TRONCO PRÓ SOLIDARIEDADE

Bolsa (ou sacola) em que os maçons depositam valores para ajuda aos necessitados.

TRONO DO REI SALOMÃO

Simbolicamente o local em que fica o Venerável Mestre em uma Loja maçônica.

Shutterstock.com/ Evgeny Murtola

U-V

UM

O número um é o número da criação, pois dele saem todos os outros; representa Deus, o único, o absoluto, assim como o Universo é a individualidade.

Representado graficamente por um ponto, ou uma barra, retrata o ato da criação.

Na Cabala, o um é a Sephirá kether, a coroa, a afirmação do ser, é o Yod no tetragrama leve, o Eu sou aquele que sou. A doutrina da unidade é o supremo ensino do ocultismo.

O número dois é considerado o número da dúvida, sendo o símbolo dos contrários e podendo gerar o desequilíbrio e a contradição.

UNIVERSAIS

Os três primeiros graus da maçonaria Simbólica: Aprendiz, Companheiro e Mestre.

UNIVERSAL

Refere-se ao caráter universal dos três primeiros graus da maçonaria.

URNA

Vaso funerário utilizado no grau de Mestre e sobre as colunas solsticiais.

VALE

Nome dado a cidade em que reside um capítulo do grau 18. Também usado para denominar as colunas em determinadas lojas filosóficas.

> O número UM, a unidade, é o primeiro dos números, mas a unidade só existe pelos outros núneros. Todos os sistemas religiosos orientais começaram por um ser "primitivo". Conquanto esta abstração não tenha, positivamente, uma existência real, tem contudo um lado positivo, que o torna suscetível de uma existência definida: é o que os antigos dominavam de "Pathos", isto é, o desejo ou a ação de sair do "absoluto", a fim de entrar no real - considerado por nós concreto".
>
> Ritual do Aprendiz

V.I.T.R.I.O.L.

Visita Interiora Terrae. Rectificando Invenies Occultum Lapidem ("Visita ao interior da terra, que ao verificar encontrarás a Palavra Perdida"). Esta inscrição se encontra na Câmara de Reflexão.

VENERÁVEL

Tratamento que se dá ao Presidente das Lojas Simbólicas, e também é o título comum de todos os Mestres na Câmara do Meio.

VENERÁVEL MESTRE

Título do Presidente de uma Loja Simbólica.

VERDADEIRA LUZ

Termo utilizado para designar o ano maçônico (ano da Verdadeira Luz), ou ano judaico. Obtêm-se, acrescentando 3.760 anos ao Calendário Gregoriano. O ano da verdadeira Luz inicia em setembro de cada ano.

VESTIDO (ESTAR)

Estar devidamente vestido na maçonaria é estar usando o avental do grau, que obrigatoriamente deve o obreiro usar durante os trabalhos em Loja.

VESTIR-SE

Paramentar-se dos ornamentos do respectivo grau maçônico.

VIAGENS

Termo aplicado às peregrinações do candidato a iniciação, ao redor do Templo, durante as provas de iniciação. Também chamado de Viagem Simbólica.

VIOLAÇÃO

O mais grave delito que um maçom possa cometer ao seu próprio juramento. Se cometido, acarreta ao maçom a degradação e a perpétua expulsão da Ordem.

VISITANTE

É o maçom que assiste aos trabalhos de seu grau ou de graus inferiores, de outra Loja regularmente constituída em outra Loja que não seja a sua.

VOTO SOLENE

É o que se faz em Loja, perante os demais maçons e dentro das formalidades requeridas.

O ato de criação é representado pelo número 1 (William Blake, ilustração e Europa, uma profecia, c.1794)

W-Z

Adam Weishaupt

WEISHAUPT, ADAM

Fundador dos Illuminati. Weishaupt pertencia a uma família de juristas. Seu pai, George Weishaupt, era catedrático de Instituições Imperiais e de Direito Penal na Universidade de Ingolstadt. Adam também era catedrático na mesma universidade, onde lecionava Direito Canônico. Adam nasceu em 1748, uma época em que as ideias iluministas dominavam as mentes mais brilhantes. Aos cinco anos, ficou órfão e foi morar com o avô, o Barão Ickstatt. Por influência do avô, o menino foi estudar com os jesuítas, onde se destacou graças à incrível memória e inteligência. Mais tarde estudou Direito na mesma universidade onde seu pai havia lecionado. Foi na biblioteca do avô que o jovem Adam tomou contato com as obras dos filósofos iluministas. As visões de mundo propostas por estes pensadores o levaram, por sua vez, a se interessar pela franco-maçonaria.

A partir destas informações e vivências, Weishaupt desenvolveu um ideário próprio, reforçado pela sua amizade com Maximilien Robespierre, que conheceu durante uma viagem à França. Vale lembrar que sob Robspierre a Revolução Francesa viveu o período conhecido como Terror, época em que as guilhotinas não interrompiam seu sinistro trabalho.

Adam conheceu um discípulo do conde Cagliostro, um místico dinamarquês chamado Kolmer. O jovem jesuíta ficou fascinado com os conhecimentos de Kolmer e pediu que este o iniciasse nos Mistérios dos Sábios de Menfis. No entanto, quando os jesuítas descobriram suas atividades heterodoxas, expulsaram-no.

Adam buscou uma fraternidade que abarcasse tanto os princípios do jesuitismo como os da maçonaria. Não encontrando, fundou, em maio de 1776, sua própria fraternidade, os Iluminados da Baviera, ou Illuminati. Seus primeiros adeptos foram quatro de seus alunos de Direito Canônico. Weishaupt não desejava presidir uma organização numerosa, mas poderosa. Por isso, só aceitava a adesão de pessoas bem situadas social ou economicamente.

ZÊNITE

Ponto imaginário da esfera celeste, que supõe situado diretamente sobre a nossa cabeça. (oposto ao Nadir).

ZERO

O zero significa o vazio, o mistério, o nada e a morte. Em contrapartida, significa igualmente a eternidade, a essência da realidade, o absoluto, a totalidade. Remete, igualmente, à gestação, ao intervalo gerador. Pitágoras via no símbolo do zero (o círculo) aquilo que continha todas as coisas.

Z'RAHHIEL

Um dos sete querubins que constituem o Conselho de Cavaleiros do Sol (Grau 28 do Rito Escocês Antigo e Aceito).

> O Nada não era um vazio absoluto. Nele já existia o Espírito de Deus que ainda não se manifestara. Conclui-se, pois, que o Nada, ou seja o Espaço preenchido pelo Espírito de Deus, foi anterior a tudo e dele partiram todas as coisas. O Nada é simbolizado na escala numérica pelo Zero. O Zero é, pois, a representação simbólica do Espaço absoluto, intangível e incompreensível para a mente humana, mas que portava em si o Espírito de Deus, ainda imanifestado, mas que sobre ele, ou nele, pairava.
>
> Boanerges B. Castro - O Simbolismo dos Números na Maçonaria